Смерть Постороннего

Андрей Курков

ペンギンの憂鬱

アンドレイ・クルコフ
沼野恭子 訳

CREST BOOKS
Shinchosha

ペンギンの憂鬱

SMERT' POSTORONNEGO

by

Andrej Kurkow

First Japanese edition published in 2004 by Shinchosha Company
Japanese translation rights arranged with Diogenes Verlag AG
through Meike Marx, literary agent, Japan

Illustration by Junzo Terada
Design by Shinchosha Book Design Division

1

はじめに、足元から一メートルほどのところにぽとんと石が落ちた。振りかえると、男が二人、にやにやしながらこちらを見ている。玉砂利を敷いた舗道の近くに立っているほうが、もうひとつ石を手にとって、ボウリングをするみたいに、こちらをめがけて転がしてきた。ヴィクトルはその場をぱっと離れ、これじゃ競歩じゃないかというほどの早足で角を曲がった。「ぜったい走っちゃだめだ！」自分にそう言い聞かせる。家のそばまで来て足を止めた。街角《まちかど》の時計を見あげると、夜の九時。あたりは静まりかえっていて、人っ子一人いない。正面玄関に入る。もう怖くなくなった。なんの取り柄もない人間は、生きていくこと自体つまらなくなったというのだろうか。気晴らしをしようにも、このご時世では高くつく。だから石でも投げてやれ、というわけか。

夜のキッチン。真っ暗だ。ただの停電だろう。暗闇の中でペンギンのミーシャがのんびり歩きまわる足音がする——ミーシャがここで暮らすようになったのは一年前の秋から。動物たちにエサをろくにやれなくなった動物園が、欲しい人に譲るというので、皇帝ペンギンをもらってきた。その一週間前に、ガールフレンドが出ていったばかりだった。ヴィクトルは孤独だったけれど、ペンギンのミーシャがそこへさらに孤独を持ちこんだので、今では孤独がふたつ補いあって、友情というより互いを頼りあう感じになっている。

蠟燭を探しあてて火をつけ、マヨネーズの入っていた瓶に立ててテーブルに置いた。炎がゆらゆら揺れるさまが詩的に感じられ、ほの暗い中でペンと紙を見つけてテーブルについた。白い紙が自分と蠟燭の間にある。これを何かで埋めなくちゃ。もし詩人だったら、この白い紙には韻を踏んだ詩行が流れだすのだろうが、いかんせん詩人ではない。ジャーナリズムとしがない小説の間をうろうろしている物書きにすぎない。これまでに書いたもので一番うまくいったのは短編小説だ。しかも、ショートショート。あんまり短いので、原稿料をもらっても、それでは食べていけない。

外で銃声が鳴りひびいた。びくっとして窓に飛び寄ったが、何も見えないので、テーブルに戻る。ちょっと想像をめぐらせると、すぐに銃声にまつわる話を思いついた。ぴったり一枚分——それより多くもなければ少なくもない。物語を悲劇的な調子でしめくくろうというところまで書いたら、電気がついた。天井から下がっている電燈がぱっときらめいた。蠟燭を吹き消し、冷凍庫から凍ったタラを出してミーシャの鉢に入れてやる。

2

翌朝ヴィクトルは、書きあげたばかりの短編をタイプライターで清書し、ペンギンに、ちょっと行ってくるよと言って、最近、新しい新聞を創刊したばかりの新聞社に向かった。この新聞は分厚くて、料理のレシピからポスト・ソ連のバラエティショーの新作紹介まで、いろいろな記事をじゃんじゃん載せていた。この新聞の編集長のことならかなりよく知っている——一緒にしたたか飲んで、編集部付きの運転手に送ってもらったことも何度かある。

編集長はヴィクトルを迎えて、にこにこ笑いながら肩を叩いた。秘書にコーヒーを淹れるよう指示すると、すぐさまプロらしく持ちこみ原稿に目を走らせた。

「だめだな、君」ようやく編集長は口を開いた。「怒らないでくれよ。これじゃ、使いものにならない。もっと血がたくさん流れるとか、ぜんぜん別のこと、何かこう変わった恋愛なんかが出てこないと。わかるだろ、新聞小説ってのは、センセーショナルなジャンルなんだから」

ヴィクトルはコーヒーを待たずに退散した。

近くに『首都報知』新聞の編集局があるのでそちらにまわったが、編集長に会えなかったので、文化部を覗くことにした。

「だいたい、うちはね、小説なんていっさい載せてないんですけどね」年とった文化部長が愛想よく言った。「まあ、原稿は置いてってください。どう転ぶかわかりませんから。もしかしたら金曜版に載せようってことになるかもしれないし。いえね、バランスをとるためですよ。あんまり暗いニュースばかりだと、読者は何か暗くも明るくもない普通のものを読みたがりますからね。じゃ、預かっときますから！」

年寄りの文化部長は、名刺を渡してさっさと切りあげ、原稿が山と積まれた机に戻っていった。そのときになって、部屋の中にも招き入れられなかったことに気がついた。入り口で体よく厄介払いだ。

3

二日後、電話が鳴った。

「恐れ入ります。『首都報知』新聞の者ですが」よく響く女性の声が一語ずつはっきり聞きとれた。「ただいま編集長に代わります」

受話器が渡されたようだ。

「ヴィクトル・アレクセーヴィチさんですね」男の声が尋ねた。

「はい、そうですが」

「今日、うちの社に来てもらえませんか。お忙しいでしょうか」

「いいえ、忙しくはありませんが」

「じゃ、そちらに車をやります。青いジグリです。住所を教えていただけますか」

ヴィクトルは自分の住所を言って書きとってもらった。編集長は、とうとう名乗らずに電話を切ってしまった。「じゃ、のちほど」と言って。

「あの短編のことだろうか」洋服ダンスを開けてシャツを選びながら考えた。「まさか。そんなわけない……。小説なんか載せるはずがない。でもまあ、わからないぞ！」

正面玄関に青いジグリが止まり、中にとても礼儀正しい運転手が乗っていた。編集部まで送ってくれた。

「イーゴリ・リヴォヴィチです」編集長はそう名乗って右手を差しだした。「よろしく」

新聞記者というよりは年配のスポーツマンという感じだった。もしかしたら本当にスポーツマンなのかもしれないが、目つきにはなんともいえないアイロニーがにじみ出ている。そういうアイロニーは理性や教育で培われるもの。屋外競技場でどんなにトレーニングを積んだところで生まれるものではない。

「さあ座って座って！　コニャックなんかどうです？」編集長はそう言いながら、鷹揚な仕草をした。

「いえ結構です。できたらコーヒーのほうが……」ヴィクトルはそう言って、広いオフィスデスクの前にある椅子に腰をおろした。

編集長は頷いた。それから受話器をとって、「コーヒーふたつ頼む」と言った。

「それでですね」編集長は好意的な目をして、切りだした。「じつはちょうどこの間、おたくのことが話題にのぼっていたところへもってきて、昨日うちの文化部長が『ちょっと見てください！』って、おたくの短編を持ってきた。なかなかよく書けてる……。それで、話題の人だなってすぐに思いだして、まあ、お近づきになろうと思ったわけです……」

ヴィクトルは、きちんと相槌を打ちながら話を聞いていた。編集長はちょっと間をおき、にっこりして先を続けた。

「どうです、うちで仕事をする気はありませんか」

「というと、どんなものを書くことになるんでしょうか」ヴィクトルはそう尋ねながらも、内心、ジャーナリズムでこき使われるのはどうもなあ、ともう逃げ腰になっていた。

編集長が口を開こうとしたとき、秘書が盆を持って部屋に入ってきて、コーヒーカップと砂糖入れをデスクの上に置いたので、編集長は息を止めるように言葉を止めて、秘書が出ていくのを待った。

「じつは極秘の仕事でね。追悼記事を書いてくれる優秀な物書き、ショート・ジャンルの達人が要るんです。スケールが大きくて、短くて、毛色の変わったものを書いてくれる人。どうです」

編集長はそう言って、すがるような目でこちらを見た。

「ということは、だれかが死んだ場合にそなえて、編集部に待機していなくちゃいけないってことですよね」まるで「そのとおり」と言われたら困るとでもいうように、ぼそぼそ用心深く聞いた。

「とんでもない！　もっとずっと面白くて責任ある仕事です。まだ生きてる人たちの〈十字架〉をゼロからカード目録にしていくんです――いやね、うちでは追悼記事のことを〈十字架〉って呼んでるんですが、有名な議員ややくざ者から文化人まで集めて目録にしようってわけですよ。ただし、故人について、これまでこんなふうに書かれたことはなかったって感じで書いてもらいたい。小説を読ませてもらって、この作者なら書けるんじゃないかってひらめいたんです」

「で、報酬はどれくらいなんでしょうか」気になることを尋ねた。

「とりあえず三〇〇ドルで始めましょう。仕事の段取りはまかせます。でも、もちろん、だれを目録に入れるかは私にも知らせてください。思いがけない交通事故なんかに不意打ちを食らっちゃたまりませんからね！　それからもうひとつ条件がある。ペンネームで書いてもらわなくちゃいけないってことです。これはおたく自身のためでもあるんでね」

「ペンネームか。何がいいかな」相手にというよりは、自分に言った。

「好きなものを考えてください。でも思いつかなかったら、当面は『友人一同』としておきましょう」

ヴィクトルは頷いた。

4

家に帰って、寝る前にお茶を飲みながら死について考えた。死を考えても辛くなかった。それどころか気分は上々で、お茶よりウォッカを飲みたいところだったが、あいにくウォッカは切らしている。

それにしても、驚くべきゲームに誘われたものだ。引き受けたばかりの任務、どうこなせばいいのかまだ見当もつかないが、何か新しい特別なことが経験できるような気がして、期待に胸が膨らむ。暗い廊下をペンギンのミーシャが歩きまわり、ときどきキッチンの、閉まっているドアをつついている。ヴィクトルはかわいそうなことをしていたことにやっと気づいて、ミーシャを入れてやった。ミーシャはテーブルのそばで立ち止まり――体長がおよそ一メートルなので、テーブルの上に何があるか見えるのだ――、紅茶茶碗を見て、それからヴィクトルに目を移した。その目はいかにもものわかりがよさそうで、世事に長けた党の専従職員みたいだ。ペンギンの喜ぶことをしてやりたくなり、バスルームに行って冷たい水を出した。ペンギンは、流れ出る水の音を聞きつけてペタペタやってくると、水がたまるのも待ちきれずバスタブに飛びこんだ。

翌朝、編集長に具体的なアドバイスをもらおうと『首都報知』の編集部に寄った。

「追悼記事の主人公はどうやって選んだらいいんでしょうか」

「そんなの造作ない。新聞に名前の出る人をチェックすればいいんですよ。自分で探してきたってかまわない――わが国では、〈十字架〉の主人公にすべき人たちの中にも、名前の知られていない人がいます。たいていの人は無名でいたがるものですからね……」

夕方、ありとあらゆる新聞を買いこんで帰り、キッチンのテーブルについた。

はじめのうちは、読みながらあれこれ考える材料を見つけては「最重要人物」の名前に線を引いていたが、仕事がやりやすいように、名前をノートに書きとることにした。やるべきことはたくさんありそうだ――新聞を数部読んだだけで、およそ六〇人もの名前を書きとめることになった。

そしてお茶を飲みながら、もう一度、今度はジャンルそのものについて考えた。どうしたら、このジャンルを、何かこう精彩のあるもの、精彩があってなおかつ感傷的なものにできるか、どうしたら、たとえ故人が見も知らぬ人であっても、その追悼記事を読んだだけで、ごく普通の農民まで思わず涙を流すようにできるか、もうわかっているような気がしてきた。翌朝、最初の〈十字架〉の主人公を決めた。あとは編集長に同意してもらうだけだ。

5

編集長の同意を取りつけ、コーヒーを飲み、もったいぶって記者証を手渡されてから、午前九時半ごろキオスクでウォッカ「フィンランド」を買い、元作家で今は国会議員をしているアレクサンドル・ヤコルニツキーの応接室に向かった。

議員は『首都報知』の記者が会いたがっていると知って喜び、以後の面会はすべて延期してだれも通さないように、とすぐ秘書に言いつけた。

ヴィクトルはくつろいで腰かけ、テーブルの上にウォッカと速記用録音器を置いた。議員もすばやく酒瓶の両側にクリスタル・グラスをふたつ置いた。

ヤコルニツキー議員は、質問もろくに聞かないうちから、よどみなく話しはじめた。議員生活のこと、子供時代のこと、大学の共産青年同盟《コムソモール》のオルグだったときのこと。ウォッカ一本が空くころには、チェルノブイリに何度か足を運んだことを自慢げに語っていた。チェルノブイリに行って不能になるどころか、かえって元気になったようだ。あやしいと思ったら、私立学校の教師をしている奥さんや、国民オペラ劇場の歌手をしている愛人に確かめてみればいい。

別れ際には、議員と抱きあってから辞した。元作家の議員は生き生きしていた。追悼記事を書くには、あまりにも生彩がありすぎるのではないだろうか。でもそれこそ大事なポイントかもしれない——だれについて書くにしたって、ついさっきまで生きていた人を扱うんだから、追悼文は、だんだん冷めていく体の温かみを逆に感じさせるようでなくちゃ。最初から救いがたいほど暗くちゃいけない。

家に戻って、急いで追悼文を書きはじめた——この議員に「十字」を切ることにしたのである。しばらくすると、生命力に満ちあふれたこの罪深き男を主人公にした温かみのある二ページ分の短編ができあがった。速記用カセットを聞き返す必要すらなかった——ありありと脳裏に刻みつけられていたからだ。

次の日、追悼文を読んだ編集長は大喜びした。

「アクロバット飛行だ！」と編集長は言った。「あとは、このオペラ歌手の亭主が口をつぐんでてくれさえすればいいんですけどね……。**『今日、故人を偲んで多くの女性たちが嘆き悲しんでいるに違いありませんが、それでも私たちは、未亡人ともう一人のご婦人に、とりわけ深い哀悼の意を表したいと考えます。その女性の声は、国民オペラ劇場の円屋根に駆けのぼり、故人のために響きわたって、万人の耳に届いたことでしょう』**か。お見事！　この調子、この調子！」

「編集長」ヴィクトルは少し気が大きくなった。「ちょっと情報が足りないんですが。自分で一人一人に取材してたら、すごく時間がかかってしまいます。社に、何か個人情報目録のようなものはありませんか……」

編集長はにやりとして言った。

「もちろん、ありますよ。ちょうどこっちからも言いだそうと思ってたところで。刑法を扱っている部で管理してます。フョードルっていうのがいるので、言って、出入り自由にしといてもらいますよ！」

6

仕事が軌道に乗るにつれ、自然と生活にめりはりが出てきた。精一杯がんばって仕事をした。刑法担当のフョードルが、手元にある情報をみな提供してくれるのはありがたかった。しかもその情報量たるや、すごいのだ──「最重要人物（ＶＩＰ）」たちの男の愛人や女の愛人の名前から、具体的な罪状やその他の出来事にいたるまで、よりどり見どりだ。要するに、ＶＩＰたちの履歴の知られざる部分をフョードルのところで補うわけだが、その部分こそインドの良質な香辛料のようなもので、〈十字架〉を単なる悲しい事実の確認記事ではなく、グルメのための料理に仕立ててくれるものだった。こうしてヴィクトルは、いつも同じくらいの分量の原稿を、定期的に編集長に提出するようになった。何もかもうまくいきはじめた。ポケットには金がうなっている──そんなに大金というわけではないけれど、慎ましやかな欲求を満たすには充分だ。ひとつだけ、ときどき残念に思うのは、たとえ匿名でもいいから世間に認められたいと思っているのに、まったくそういうチャンスがめぐってこないことだった。〈十字架〉というジャンルの主人公たちはとてつもなく生命力が強いらしく、書きあげた追悼文の数百人以上のＶＩＰは、一人も死なせた。

ないばかりか、病気にさえならない。でも、そう考えたからといって、仕事のリズムが狂うわけではない。きちんと新聞をめくっては名前を書き写し、その人たちの履歴を探りだす。わが国では〈十字架〉の主人公にすべき人たちみんなが知られるべきなんだ、自分で自分にそう言い聞かせた。

　一一月の夜。外は雨が降っている。ペンギンのミーシャはまた冷水浴をし、ヴィクトルは〈十字架〉の主人公たちの生命力が強いことに今さらながら驚いている。そこへ突然、電話が鳴った。

「イーゴリ・リヴォヴィチ編集長の紹介で」男性のしゃがれ声がした。「ちょっと話があるんですが」

　親しくしている編集長の名前を耳にして、喜んで会うことにした。

　そして三〇分後には自分のアパートに客を迎え入れていた——年齢四五歳くらい、センスのいい身なりの、まじめそうな男だ。客がウィスキーのボトルを手土産にやってきたので、二人はすぐにキッチンのテーブルに腰をおろした。

「ミーシャっていいます！」客がそう自己紹介したので、ヴィクトルは思わず薄笑いしてしまい、たちまちきまり悪くなった。

「すみません、うちのペンギンも同じ名前なもので」

「じつは旧友が重病で……」客は話しだした。「同級生だったやつで、子供の時分から親しくしてきましてね。セルゲイ・チェカーリンっていうんですが、そいつの追悼文を書いてもらいたいんだ……。引き受けてくれますか」

「もちろんですよ」ヴィクトルは答えた。「でも経歴を知らないと。なるべくプライヴェートなのがいいんですが」

「お安い御用です。あいつのことなら何でも知ってます。お話ししましょうか……」

「お願いします」

「父親は組立て工、母親は幼稚園の保母です。小さいころからオートバイに憧れてて、高校を卒業すると、ついに念願のバイク『ミンスク』を買ったんですが、そのためにちょっとした盗みに手を染めましてね……。今では過去のことをすごく恥じてます。まあ、今だって昔よりましってわけじゃないけど。私たちは同業で、企業合同《トラスト》を作ったり閉鎖したりって仕事をしてるんですが、どういうわけか私はうまくいくのに、あいつはうまくいかない。こないだは奥さんが出てって、とうとう天涯孤独になっちゃいました。愛人だって一度もいたためしがないんだ」

「奥さんの名前は何でしたか」

「レーナです……。およそ商売は芳しくないし、しかも体の具合がねえ……」

「具合どうなんですか」

「胃癌の疑いがあって、慢性前立腺炎です」

「じゃ、チェカーリンさんが人生で夢見てる一番大切なものは何でしょうか」

「夢？　シルバーのリンカーンでしょうけど、絶対に手に入らないだろうな……」

二人はこういったやり取りをウィスキーで紛らしていたが、言葉とアルコールのカクテルのせいで、すぐそばに第三の男チェカーリンがいて一緒に飲んでいるような気がした。妻に逃げられ、健康をそこない、シルバーのリンカーンを持ちたいという夢も叶えられず、その夢とひたすら向きあっているしかない男。

「原稿いつ取りに来たらいいですか」最後にミーシャが尋ねた。

「明日にでもどうぞ」

ミーシャが出ていくと、外で車にエンジンをかける音がした。窓から覗くと、下で正面玄関から他ならぬシルバーのリンカーンが――胴の長い、もったいぶったリンカーンが走り去るところだった。

ペンギンのミーシャに新鮮な冷凍カレイをやり、バスタブに水をためてキッチンに戻り、そこに腰をすえて、注文を受けた追悼文に取りかかった。バスルームとキッチンの間に小窓があるので、ぱしゃぱしゃ水のはねる音が聞こえてくる。〈十字架〉を書きながらも、きれいな冷水がこんなに好きなペンギンのことを思うと、ひとりでに顔がほころんでしまう。

7

秋は追悼文を書くのに一番ふさわしい季節だ。万物のしおれるとき、哀愁に満ちたとき、あれこれ過去に思いをはせるとき。冬は生命にとって素晴らしい季節だ――冬というだけでもう楽しくなってくる。人を活気づける寒さ、日の光を受けてきらきら輝く雪。でも冬になるまでまだ数週間あるので、その間に来年のためのストックを作っておける。やることはいっぱいある。

〈ペンギンじゃないミーシャ〉がやってきたとき、外はまたとめどなく雨が降っていた。注文原稿の追悼文を読んで、ミーシャは満足げだ。札入れを取りだして「いくらかな」と聞いた。

ヴィクトルは困って肩をすくめた――これまで報酬は月極めでもらってきた。「いいか」ミーシャは砕けた言葉遣いになっている。「いい仕事をしたんなら、それなりの金をもらって当然なんじゃないのか」

この言い分はもっともだったので、頷いた。

ミーシャは考えこんだ。

「少なくとも、最高級の売春婦の二倍は取らなくちゃ……。五〇〇ドルでいい？」

売春婦の最高額から原稿料を計算するのは気に入らなかったが、この金額は御の字だ。もう一度頷き、ミーシャから一〇〇ドル紙幣を五枚受け取った。

「なんだったら、追悼文を注文するやつをもっと探してきてやろうか！」とミーシャは持ちかけた。

なんだったらも何も、望むところだ。

〈ペンギンじゃないミーシャ〉は帰っていった。相変わらずどんよりした雨模様の午前が続いている。ドアが開き、戸口でペンギンのミーシャが立ち止まった。しばらく立っていたが、主人に近づいてきて、膝に自分の体を押しつけ、そのままじっと動かなくなった。愛しくなって撫でてやる。

8

夜中、不眠に悩むペンギンのぺたぺた歩く足音が、浅い眠りを通して聞こえてくる。ドアはどれも開けっ放しにしてあり、ペンギンは部屋中歩きまわっては、ときどき立ち止まる。人生にも自分自身にも疲れた老人のように深い溜め息をついているんじゃないか、と思うことがあった。

朝、編集長が電話してきて、社に来てくれと言う。

コーヒーを飲みながら、二人で〈十字架〉のカード目録の進行状況について話しあった。編集長はおおかた満足していた。

「ひとつだけ見逃していることといえば」編集長が言った。「未来の死者たちが揃いも揃ってこのキエフに住んでいるということですね。もちろんキエフは首都だから、少しでも名が知れると、そういう人たちを首都が掃除機みたいに吸いこんじゃうってことはある。でも、他の町にだって地元の名士はいるはずでしょう」

注意深く話を聞きながら、ときおり相槌を打った。

「うちは、あちこちに特派員を置いてて」編集長は続けた。「その連中が必要な情報を集めている。だから、行って連中の集めたものをあるだけもらってくればいいんです。郵便は当てにならないし、こういうことはファックスもあまり信用できない。そこで、この件に協力してもらいたいんですが……」

「この件って？」

「二、三、地方都市をまわって、資料をあらいざらいもらってくるってことです……。まずはハリコフ、それからオデッサ、いやじゃなければの話ですけどね。経費は編集部持ちですよ、もちろん……」

この仕事を引き受けることにした。

外はまたぽつぽつ小雨が降っている。家に帰る途中カフェに寄り、コニャックを五〇グラムとコーヒーを二杯頼んだ。体を温めたかった。

カフェは静かで、他にだれもいない。これからのことに思いをめぐらせるにも、逆に昔のことを思いだすにも、いい雰囲気だ。

コニャックに少し口をつけると、おなじみの香りが鼻孔をくすぐる。「本物だ！」と嬉しくなった。

カフェで気持ちよく一休みし、コニャックとコーヒーを飲みながら過去と未来の間をたゆたっていると、ロマンティックな気分になってきた。自分を独りぼっちだとも、不幸だとも思わない。体を内側から温めたいというささやかな欲求を満たしに来た、ただの客にすぎない。本物のコニャック五〇グラム――それがぬくもりとなって、正反対の二方向に流れていった。上は頭へ、下は足のほうへ。考える速度がしだいに遅くなっていく。

前は長編小説を書く作家になりたいと思っていた。でも、中くらいの長さの小説だって書きあげたためしはない。書きかけの原稿がいくつか紙挟みに入れてどこかにしまってあるはずだ。でも、書きかけで放っておかれるのが、その作品たちの運命だったのだろう。ミューズに恵まれていないだけなのだけれど。せめて一編でもいいから中編小説を書きあげるまで一緒にいてくれればいいのに、ミューズたちはどういうわけか、2DKのアパートにじっとしていてくれない。長めの小説が書けないのはそれが原因だ。とはいえ、たしかにミューズたちは驚くほど移り気だが、そんな当てにならないミューズを選んでしまう自分も悪いのかもしれない。こうしてペンギンと自分だけになっても、書くものはやはり短いものばかり。もっとも、今はかなり実入りがよくなったけれど。

体もすっかり温まったので、カフェを後にした。外は小雨が降り続き、どんより、じめじめしている。

家に帰る前に、食料品店でミーシャのために冷凍サケを一キロ買った。

9

ハリコフに出かける前に、片づけておかなければならない問題がひとつあった――ペンギンのミーシャをだれに預けるかということだ。たぶんこのペンギンなら、三日くらいだれにも面倒を見てもらわなくても大丈夫だろうが、やはり心配だった。思いだせる限り、知りあいを一人残らず思い浮かべてみたが――なんと、親友がいないのだ――、みな縁のうすい人たちばかりで、とても頼む気になれない。困って頭をかきむしり、窓の近くに寄った。

外は小雨が降っている。正面玄関で、警官が近所のおばあさんと話している。警官とペンギンの古い一口話《アネクドート》があったのをふと思いだし、笑いがこみあげた。電話の載っているサイドテーブルのほうに行き、手帳を手に、この地区を担当している警官の電話番号を探しだした。

「フィシュベイン少尉です」電話線のむこうから、はきはきした男の声が聞こえた。

「すみません」ヴィクトルは口ごもり、言葉を探して切りだした。「折り入ってお願いしたいことがあって……。おたくの担当地区に住んでる者で……」

「何かありましたか？」警官がさえぎって聞いた。

「いえ。あの、冗談を言ってると思わないでほしいんですが、じつは、出張で三日ほど出かけなくちゃならないんですけれど、ペンギンを預ける人がいなくて……」

「あのですね」警官は落ちついた声できっぱりと言った。「残念ですが、うちにはペンギンを飼う場所はありません。母と狭いところに住んでいて……」

「そうじゃないんです」ヴィクトルは不安になった。「ただ、うちに二、三回来てエサをやってもらえないかな、と思ったんです。鍵をお渡ししますから……」

「それなら、いいですよ。住所と名前を言ってください。あとで行きます。三時ごろ家にいますか？」

「ええ、います」

肘掛け椅子に腰かけた。

一年ちょっと前までは、自分の隣、広い肘掛けのところにたいていオーリャが座っていた。小柄なブロンド娘で、ちょっと上を向いた可愛い鼻、いつも人を咎めるような目をしていたっけ。ときどきオーリャはこちらの肩に頭をもたせかけ、まるで眠るように、自分の夢想の世界に潜っていたが、もしかしたら、そこには俺の場所はなくて、存在を許されていたのは現実の世界だけだったのかもしれない。でもその現実でだって、俺がオーリャに必要とされていると感じたことはなかった。無口で、よく物思いにふけっていた。オーリャが何の理由も言わずに出ていってしまってから、何が変わっただろうか。今、隣にいるのはペンギンのミーシャ。無口だけれど、物思いにふけっているんだろうか。物思いって何だろう。目の表情を描写するためだけにある言葉なんじゃなかろうか。

ヴィクトルは前屈みになってペンギンの目を探しあて、じっと見つめて、物思いにふけっている気配があるかどうか探ろうとしたが、あるのは哀しみだけだった。

警官は三時一五分前にやってきた。靴を脱いで部屋に入ってきた。ユダヤ系の苗字なのに、見た目はそう思えない——肩幅が広く、ブロンドで、青い目をしており、ヴィクトルより頭ひとつ分背が高く、警察にいるよりバレーボールチームにいるほうが似合うような青年だが、でも正真正銘の警官である。

「で、ペットはどこですか」警官が聞いた。

「ミーシャ！」ヴィクトルが呼ぶと、お気に入りの場所、モスグリーンのソファの陰からペンギンが出てきた。

ペンギンはこちらに来て、興味ありげに警官を見あげた。

「こいつがミーシャです」警官にそう言ってから、そちらを向いた。「失礼ですが、お名前は」

「セルゲイです」

ヴィクトルは相手をじっと見つめた。

「おかしいな。ぜんぜんユダヤ人のようには見えないけど……」

「ユダヤ人じゃありません」警官は微笑んだ。「本当の苗字はステパネンコっていうんです……」

ヴィクトルは肩をすくめ、またペンギンのほうを見て言った。

「ミーシャ、この人はセルゲイっていって、留守にする間、お前にエサをくれるからね」

それから、どこに何が置いてあるかセルゲイに説明して、合鍵を渡した。

「ご心配なく」セルゲイは、帰りしなに言った。「任せてください!」

10

ハリコフは凍てつくようだった。列車を降りるなり、これは街をぶらつくどころじゃないな、と思った——あまりに軽装で来てしまった。

ホテル「ハリコフ」の部屋に落ちつくと、『首都報知』の特派員に電話して名前を名乗った。オペラ劇場地下のカフェで落ちあうことになる。

夕刻の待ちあわせ時間が近づいてきたので、とりあえずスムスカヤ通りをオペラ劇場のほうに歩いたが、寒さが顔の皮膚にはりつき、なめし革のショートコートのポケットに入れた両手がかじかんでいるのがわかる。

街並みが歩道に重苦しくのしかかり、道行く人たちは、まるで建物のバルコニーが落ちて崩れてくるんじゃないかと心配しているみたいに、先を急いでいた。でも実際、そういうことが珍しいことでなくなって久しい。

　これから五分ほど歩いたら、劇場の地下、バーや店やカフェのひしめく迷路に下りていくことになっている。ステージがあってテーブルが二列に並んでいるカフェに入ったら、ステージに顔を向けて壁際の高いほうの席に座るという約束だ。そしてオレンジジュースと缶ビールをとる。ただし缶ビールは開けないこと、と取り決めてあった。

　先を急いだ。待ちあわせは六時半から七時の間と三〇分の余裕があったが、寒くて急きたてられる。

「カフェで何か食べるものをとろう」と歩きながら考えた。「熱々の肉にしようか……」

　劇場の近くまで来ると、モダンな地下街への入り口が見えた。同じく薄暗がりだが、ところどころ窓がほんのり薄明るいだけの夕暮れの街から、ショーウィンドーが煌々と輝いている地下街へ足を踏み入れる。

　下に通じる階段を数段おりたあたりに、物乞いのおばあさん二人と、酔ってぼんやりした顔つきをしたかなり若い女が立っている。

　まばゆく光る回廊を歩いて、カフェの入り口に来た。ガラスのドアのむこうに、制服姿の警察特殊部隊の隊員が座って本を読んでいる。中に入ろうとするとその男が本から目を離してこちらを見た。

「行き先は？」その聞き方は、厳しいというほどではなかったが、軍人のようないかめしさがあった。

「ちょっと腹ごしらえに……」

特殊部隊の隊員は頷いて片手で前を指した。

バーのそばを通ったが、カウンターには、見るからに刑事風の客が数人ビールを飲んでいる。禿頭のバーテンは、ヴィクトルと目が合うと、皮肉な薄笑いを浮かべたが、それは相手の視線をどこかへ投げやるような仕草だった。ここには構わずどっか別のところに行ったほうが身のためだぜ、と言っているみたいだった。

行く手にひときわ明るく輝いている場所があって、人を招いているように見えたので、足を速める。

それは、こぢんまりしたステージで、半円状にテーブルが二列、両側に並んでいる。上の列は下の列より五〇センチほど高くなっている。ステージの前でちょっと立ち止まった。

それからカウンターに行き、オレンジジュースと缶ビールを注文する。

「他には？」化粧をしたブロンドの太った女が聞いた。

「何か肉料理ありますか」と問い返す。

「あるのは魚の燻製と玉子焼き……」カウンターの女は一本調子で答えた。

「じゃ、結構」溜め息をついた。「とりあえず、それだけ」

支払いを済ませ、高いほうの列に座って顔をステージのほうに向けた。ジュースを一口飲んだら、ますます空腹を感じた。

「しょうがない」心の中で思った。「こうなったらホテルで食べるか。レストランがあったから」

時計を見ると、六時二〇分だ。

カフェの中は静かだった。隣のテーブルにはアゼルバイジャンの男が二人いて、黙々とビールを飲んでいる。

ヴィクトルが振りかえってカフェを見回したとき、突然フラッシュのようなものが光り、一瞬、目をくらまされた。顔をしかめ、両手で目を拭ってから開けると、若い男が通路を歩いて立ち去るところで、その手にはカメラが握られている。

もう一度まわりを見回して、今しがた写真を撮られたのがだれなのか確かめようとした。でも自分とアゼルバイジャンの男二人以外、ここにはだれもいない。

「ということは、このカフカスのやつらを撮ったのか……」そう考え、また薄いオレンジジュースを一口飲んだ。

時間はどんどん過ぎていく。背の高いグラスに残っているジュースは、あと一口あるかないかだ。開けてない缶ビールにちょくちょく目をやりながら、もう一本注文して、そっちを開けようか、などと考えはじめる。

テーブルに、ジーンズと革ジャンパーの女の子が近づいてきた。でこぼこのない見事な頭蓋の形を見せつけるように、頭にはスカーフがきっちり巻かれ、首の後ろで結んである。結び目の下から栗色の髪の先が出ている。

「私のこと、待ってんの?」女の子はそう聞いて微笑んだ。

ヴィクトルはぶるっと震え、気を張りつめ、なんだか気まずくなった。

「まさか」頭にかっと血がのぼったようになって考えた。「特派員は男のはず……。でも、この子を自分のかわりによこしたのかもしれない……」

女の子を眺めまわし、ひょっとして必要な書類を持ってきたのかもしれないと思いながら、書類の入っていそうな書類カバンを探したが、相手が手にしているのはちっちゃなハンドバッグで、これではビール瓶だって収まりそうにない。

「で、どうなの、お兄さん。それとも時間ないとか？」女の子はまた自分に注意を向けようとしたが、今度は、この子じゃないと、ぴんときた。

「どうも。人違いですよ」

「人違いなんか滅多にしないほうだけど」女の子は甘い声でそう言ってから、立ちあがった。

「世の中、いろんなことがあるのね……」

ヴィクトルは一人テーブルに残って、やれやれといったように息をつき、開けてない缶ビールをまた見やった。それから時計を見た。七時一五分前。いくらなんでも、そろそろ姿を見せていいころだ。

しかし特派員はとうとう現れなかった。七時半になって、缶ビールを飲み干し、カフェをあとにした。ホテルのレストランでようやく食事にありつく。それから部屋に戻り、もう一度特派員に電話してみたが、呼びだし音が長く続くだけでだれも出ない。仕方なく受話器を元に戻した。

今にも瞼がくっつきそうだ。部屋が暖かいので、緊張がほぐれ、眠くなってきた。

明日の朝もう一度電話することにして、ベッドに横になるなり寝入ってしまった。

11

キエフはまた雨がしとしと降っている。警官のセルゲイ・フィシュベイン＝ステパネンコは、ヴィクトルのアパートに立ち寄った。靴を脱いで、緑の編み靴下のままキッチンに行き、冷凍庫からサケを一匹取りだし、膝でへし折り、低い子供用腰かけの上に置いてある鉢に、サケ半匹分を入れた。

「ミーシャ！」ペンギンを呼んで耳を澄ました。

返事を期待していたわけではないので、まずキッチンの隣の部屋に行き、それから寝室に入ると、寝室のソファのむこうの壁際に、眠いのか哀しいのか、どちらともつかない様子でペンギンが立っている。

「おいで、ご飯、食べにおいで！」警官は優しく呼びかけた。

ミーシャは警官の目を見つめた。

「さあ、おいでよ！　ご主人はもうすぐ帰ってくるから！　寂しいんだろ？　おいで！」

ペンギンは慌てず、のろのろとキッチンに向かい、セルゲイは注意深くあとを追った。キッチンの鉢のあるところをペンギンに教え、食べはじめるところを見届けてから、すがすがしい気持ちで廊下に戻り、靴を履き、上着を着て、小糠雨の降るキエフの街に出た。

「呼びだしを食わずに一日が終わってくれるといいんだけどな！」低く雲の垂れこめた陰気な空

を見上げてそう思った。

12

翌朝ハリコフのホテルでヴィクトルは、通りから聞こえてくる銃の乱射音に起こされた。あくびをしながら起きあがって時計を見ると、午前八時だった。窓に寄ってホテルの下を見ると、警察のジープと救急車が止まっている。

目を上げると、青い空と薄黄色の太陽が見え、スターリン様式の灰色のビルの陰から朝日がさしている。今日は天気がよくなるだろう。

電話の置いてあるテーブルに向かって座り、特派員の番号を回した。

「もしもし」女性の声が響いた。「ご用件は？」

「ニコライ・アグニフツェフさんをお願いします」

「どちら様でしょうか」女性の声が聞いた。

「新聞社の……『首都報知』の者ですが……」と答えたが、女性の声にどこか緊張感がある。

「お名前は？」女性の声が尋ねた。

どこかおかしい。手が震えてくるのを感じて受話器を置いた。

「まずはコーヒーだ！」自分自身に言い聞かせた。「コーヒーを飲まなくちゃ」

着替えて、冷たい水を手にすくってばしゃばしゃと顔にかけ、ホテルのバーにおりていく。カウンターに行き、コーヒーを二杯頼んだ。

「座っててください。持っていきますから」バーテンが言った。

バーの隅の席を選んで座った。ガラスのテーブルと、柔らかくてゆったりしたビロードの椅子。同じくガラス製の重い灰皿に片手を伸ばした。もの思わしげにそれをしばらくもてあそんだ。

バーの中は静かだ。

バーテンがやってきて、テーブルにコーヒーカップを置いて尋ねた。

「他に何か？」

「いや、結構」ヴィクトルは会釈し、それから顔を上げてバーテンをじっと見た。「すみません、朝方の銃撃は何だったんですか」

バーテンは肩をすくめた。

「外国人相手の娼婦が殺されたようですよ……。だれかに恨まれたかなんかでしょう」

コーヒーは少し苦かったが、これで落ちつくだろうということが直感的にわかった。すると指の震えが止まり、ぴりぴりしていた頭の神経もおさまってきた。平常心が戻ってきた。頭を振り絞って考えてみる。

「何も恐ろしいことなんか起こっちゃいない」という自分自身の考えが聞こえてきて、それがあまりに自信ありげに響いたので、信じないわけにいかなかった。「生活なんてこんなもんさ。ありきたりの生活だ。編集長に電話して、どうしたらいいか聞いてみるしかないな」

コーヒーを飲みおえ、支払いを済ませて自分の部屋に上がり、キエフに電話をかけた。

「帰りの切符は今日の列車なんだから」編集長は落ちつきはらっている。「そのまま帰ってきてください。キエフに専念して、地方都市のことはしばらく見合わせましょう……」

列車のコンパートメントの席についてから、駅で買っておいた『夕刊ハリコフ』の最新版を広げた。ざっと見ていくうちに、小さな文字で犯罪ニュースをいくつも報じている刑事事件のページに目が釘付けになる。「殺人」欄にこんな記事があったのだ。


昨日午後五時頃、『首都報知』の特派員ニコライ・アグニフツェフ氏が自宅で何者かによって射殺された。

気分が悪くなり、広げた新聞を膝の上に置いた。すると列車が急にがたんと揺れ、新聞が床に落ちた。

13

朝方、キエフの自宅アパートの部屋に上がっていこうとしていたところで、警官に出くわした。

「あ、おはようございます!」セルゲイは喜んだ。「なんだか顔色、悪いですよ……」

「ミーシャはどうでしたか」ヴィクトルは苦しげな声で聞いた。

「まったく問題ありません!」セルゲイはにっこりした。「もちろん、ご主人様がいなくて寂しがってましたけどね。冷凍庫、もう魚があまり残ってませんよ……」

「ありがとうございました！」なんとか感謝を込めて微笑もうと思ったのだが、顔が引きつって渋面になってしまった。「借りができちゃいましたね！　よかったら、今度一〇〇グラムずつでも酒を飲みませんか」

「いいですね。どうも」警官は頷いた。「じゃ電話ください。番号はご存じですよね！　またペットの世話をする必要が出てきたら、遠慮なく言ってください！　動物、好きなんです。もちろん生きた本物の動物ですよ、職務で関わらなくちゃいけない動物じゃなくて……」

ミーシャは主人を見て喜んだ。ヴィクトルが家に入って電気をつけたら、もう廊下に立っていた。

「ただいま、ミーシャ！」しゃがんでペンギンの目を覗きこんだ。

ミーシャが微笑んだように思った。

本当にその目は喜びできらめいていたし、ぎこちない足取りで一歩、主人のほうへ歩み寄った。

「この世で俺を待っててくれる人がだれかいればなあ！」とヴィクトルは思った。

立ちあがり、コートを脱いで奥に入った。ペンギンがペタペタあとを追ってくる。

14

翌朝目を覚ますと頭が痛い。起きあがる気力はまったく湧いてこず、そのままベッドに横になっていた。

目覚ましの針は九時半を指している。

目を開けたまま、右に左に寝返りを打っているうち、ペンギンが枕元に立っているのに気がついた。

「ああ、大変だ！」息を吐き、足を床におろした。「昨日からエサをやってなかった！」

そして、頭がガンガンいって耳鳴りがしているのも気にとめずに顔を洗い、着替えた。

凍てつくような外気のおかげで少し元気が出た。冬が、ヴィクトルの背中にぴったりくっついてはるばるハリコフからついて来たかのようだ。

「編集長に電話して……」と歩きながら考えた。「病気になったって言わなくちゃ……。それから新聞を買って、ともかく少しでも仕事をしよう……」

食料品店の魚売り場で、冷凍カレイを二キロ買った。そして、ちょっと迷ってから、生きた魚も一キロ買った。

家に戻り、バスタブに冷たい水を張り、銀色のコイを三匹放して、ミーシャを呼んだ。

ミーシャは、バスタブの中で泳ぎまわっている魚をちらっと見ただけでそっぽを向き、部屋に戻っていってしまった。

ペットの気持ちがわからなくて肩をすくめる。

ドアのチャイムが鳴った。

覗き穴から〈ペンギンじゃないミーシャ〉の姿が見えたので、ドアを開けた。

「やあ！」ミーシャはそう言いながら入ってきた。「いくつか注文を持ってきたよ。調子はどう？」

ヴィクトルは頷いた。

二人がキッチンに入ると、すぐさまペンギンがペタペタ足音を立ててやってきた。

「ああ、同名の君！」客は薄笑いをした。「どうもどうも！」

それからヴィクトルのほうを見て聞いた。

「それにしても、なんでそんなに浮かない顔してんの？　病気にでもなったか」

「そうなんだ。それになんだか、馬鹿馬鹿しくなって……」

どういうわけか愚痴をこぼしたい気分になり、そんなことしちゃいけない、と何かが心の中で抗議しているのに、自分を抑えられなくなった。

「書いて書いて、書きまくってるのに、だれも俺の仕事なんて気づきゃしない……」ヴィクトルの声には哀れっぽいところはなく、どちらかというと怒っているようで、同情してもらおうなどという感じはなかった。「もう二〇〇枚以上書いてる……。それなのに、無駄骨を折ってるだけで……」

「なんで無駄骨なんだよ」〈ペンギンじゃないミーシャ〉が話を遮った。「言ってみりゃ、良きソビエト時代の作家たちと同じで、原稿を書いて『机の引きだしにしまっておく』ようなもんだが、大きな違いがある。あんたの書くものは、遅かれ早かれ、そのうちきっと公表される……。ぜったい、そうだ」

客の言うこともっともだと思って頷いたが、それでもなお不満の発作は続き、笑うことができないばかりか、気を静めることもできない。

「じゃ、これまで書いた中で、だれの追悼文が一番よく書けたと思う？」〈ペンギンじゃないミーシャ〉が愛想よく尋ねた。

「ヤコルニツキーかな」ちょっと考えてから答え、フィンランドのウォッカを飲みながら長時間インタビューしたことを思いだした。

「それって、作家で議員の？」ミーシャは聞き返した。

「ああ」

「そうか、わかった。ところで、ちょっと面白いもの持ってきたんだ。まあ読んでみてくれ」

ヴィクトルは、書類をいくつか手に取ってざっと目を通した。聞いたこともない名前、経歴、日付け。今はそれらの内容をあれこれ考えたい気分ではなかった。ただ頷いて書類を脇にやった。

「書けたら電話してくれ」〈ペンギンじゃないミーシャ〉はそう言って名刺をくれた。

15

窓の外では初雪が舞っている。コーヒーを飲みながら、〈ペンギンじゃないミーシャ〉が数日前に持ってきた書類を読んでいた。税務副署長と、レストラン「カルパチア山脈」のオーナーに関する履歴書類だった。この二人の経歴は波乱に富んでいるから、面白い〈十字架〉になるだろう。登場人物をこういうタイプにしたら楽に冒険小説が書けただろうに、と思った。素晴らしい悪漢ヒーローだ！　でも、一〇〇パーセント自分の自由になる時間がなくては長編は書けないが、そんな余裕はない。たしかに今は金もあれば、ペンギンのミーシャもいるし、銀色のコイも三匹バスルームで泳いでいる。でも、こういったものをはたして、書けなかった長編小説の代償と考えることができるだろうか。

コイのことを思いだし、パンを持って、この生きた魚にエサをやろうとバスルームに行った。パンを細かくちぎっていると、すぐそばにだれかの息づかいが聞こえる。振りかえると、ミーシャだった。ミーシャはバスタブで泳ぎ回っている魚を憂鬱そうに見ている。

「つまり淡水魚は好きじゃないってこと？」ペンギンに聞き、ペンギンの代わりに自分で答えた。「もちろん、ぼくたちはだいたい南極にいる海の生き物で、自分に合った水ってものがあるからね……」

部屋に戻り、警官のセルゲイに電話をして、魚料理をするから来ませんか、と夕食に誘った。外はあいかわらず雪が降り続いている。

キッチンのテーブルにタイプライターを置いて、一語一語打ちこみながら、未来の死者たちの生き生きとした姿を「描写」しはじめた。

仕事はゆっくりとではあったが確実に進んでいく。どの言葉も然るべき位置におさまり、エジプトのピラミッドの土台のようにしっかりしたものになってきた。


故人はたしかに弟の殺害に同意しましたが、それは自分が良い生活をしたかったからではありません。弟が、いまだ民営化されていない洗濯機工場の株主リストを偶然手に入れたためだったのです。しかし故人が弟のために建てた記念碑は、墓地に彩りを添える素晴らしいものとなりました。しばしば生が人を死に向かわせることがありますが、親しい者の死は人を生に向かわせます。つまりもっと生きよう、何があろうと生きていこう、と思わせるもので

す……。すべてが互いに依存しあっており、この世のすべてが血管でひとつにつながっているのです。あらゆる人々の生は不可分、一体で、その中のたとえ小さな一部が死んでも、なおあとに生を残すのです。それというのも、全体の中の生きている部分のほうが、つねに死んだ部分よりも多いからです……。

セルゲイは、ジーンズ、フランネルの縞柄のシャツ、黒いセーターという格好で夕食に現れた。ヴィクトルにはコニャック、ペンギンには紙袋に入った冷凍のタラをお土産に持ってきてくれた。夕食はまだできていなかったので、二人は一緒にコイを焼くことになった。これでようやくバスタブが空いた。二人が料理している間、新鮮な冷たい水を張ったバスタブで、ペンギンがぱしゃぱしゃ水をはね散らしている。フライパンで魚の焼けるジュージューいう音の合間にバスルームから水の音が聞こえてくるので、二人は笑いあった。

ようやく食事の用意ができた。

コニャックを一杯ずつ飲んでから、コイのソテーを食べはじめる。

「骨が多いですね！」ヴィクトルが、魚になりかわって申し訳なさそうに言った。

「そんなの何てことないですよ」セルゲイが頷いた。「何にでも見返りがある……。魚は骨が多いほど美味い。一度、クジラの肉を試したことがあって。あれだって魚でしょう！　骨は一本もなかったけど、そのかわりぜんぜん美味くなかった……」

二人はコニャックを飲みながら魚を食べ、暗闇によその窓辺の灯りがほんのり浮かびあがり雪が舞うのをときどき眺めた。この日の夕食には、どこか正月を祝うような雰囲気があった。

「どうして一人暮らしなの？」兄弟の杯を交わし、君、俺と親しげに呼びあうようになってから、セルゲイが聞いた。

ヴィクトルは肩をすくめた。

「自然にそういうふうになってね。女運が悪いらしい。この世を超越しているような女にばかり出会うんだ。おとなしくて目立たなくて。ちょっと一緒に住むんだけど、いつのまにかいなくなっちゃう……。そういうのが嫌になった。で、ペンギンを飼うことにしたら、なんだかすぐにほっと気が楽になってね。でもミーシャはいつも哀しげにしてる……。犬でも飼ったほうがよかったのかな……。犬のほうが情緒的だよね。ワンワン吠えて迎えてくれるし、舐めたり、尻尾を振ったり……」

「そんなことないさ！」セルゲイは手を振った。「犬だと毎日二回は外に連れ出さなきゃならないし、臭《にお》いが部屋中にこもるし……。ペンギンのほうがいい。ところで、君のほうはどんな仕事してるの？」

「物書き」

「子供の本書いてない？」

「なんで子供の本なの？」ヴィクトルは驚いた。「いや。新聞に書いてるんだ」

「ふうん」セルゲイは頷いた。「新聞は好きじゃないんだ。新聞読むといつも気分が悪くなる」

「俺も好きじゃない。それはそうと、なんでそういう苗字なの？　フィシュベインって」

セルゲイは重々しく息を吐いた。

「それが、すごく退屈してたときの話で、叔母さんが身分証明書課で働いてたもんで、あるとき、えい、ユダヤ人になってどうとでもなってやれって思って。それでユダヤ人になったんだ。身分証明書を失くしましたって届けを出すだけよって叔母さんが教えてくれた。それで叔母さんが新しい苗字のついた新しい身分証明書を作ってくれた。その後、外国に出たユダヤ人たちの暮らしぶりを知ったけど、べつにうらやましいとも思わなかった。それで国に残ることにしたんだけど、武器を持っていられるほうがいいかなと思って警察に入った。だいたいのところ仕事は安全だし、日常生活の悶着や何やかや、なんてことない苦情を処理してればいい。もちろん、憧れてたこととは違ったけどね」

「何に憧れてたの？」

ふいにキッチンのドアが開き、戸口にずぶ濡れのミーシャが姿を現した。体からぽたぽた水が滴り落ちている。ミーシャは戸口にしばらく立っていたが、やがてテーブルの脇を通って自分の鉢のほうに行き、いぶかしげに主人を見た。鉢は空っぽだった。

ヴィクトルは冷凍庫から、凍りついているカレイのフィレを取りだして三切れ折り取り、小さく切って鉢に入れてやった。

ミーシャは頭を下げてカレイに近づけ、そのまま動かなくなった。

「見てよ！」面白そうにセルゲイが言った。「解凍してる。まちがいない、解凍してるんだ！……」

ヴィクトルは席に戻って、一緒にペンギンの様子をしばらく眺めた。

「さてと」セルゲイは話題を変え、手にグラスを取った。「だれにでも最高の魚を食べる資格があるけれど、実際に食べられるのは手に入るものだけだ……。友情に乾杯！」

二人はグラスをカチンと合わせて空けた。するとヴィクトルはふっと気が楽になった。さっきまで自分や他人をあれこれ不満に思っていたことなどきれいさっぱり忘れ、自分の書いた〈十字架〉のこともどこかに飛んでいってしまった。今まで一度も働いたことがなく、ただ生活をしながら、いつか書く予定の長編小説の構想を練っているだけのような気がしてきた。セルゲイのほうを見て、微笑みたかった。友情なんだろうか。たぶん、今までの自分には一度も縁のなかったもの——三つ揃いの背広とか心からの情熱と同じようなものなんだろう。これまでの人生は退屈でぱっとせず、喜びにも恵まれなかった。ペンギンのミーシャもなんだか哀しそうで、やっぱり精彩も感情もなければ、心躍る喜びも興奮も知らずにただ淡々と生きてきたみたいだ。

「ねえ」不意にセルゲイが言いだした。「もう一杯ずつ飲んだら、ぶらっと出かけないか、ペンギンも連れて！」

夜も更けてきて、街は静まり返っている。子供たちはもうみんな寝ている時刻だ。街路灯は灯っておらず、うっすらと初雪が照らしだされるのは、たまに火をつけたときか、明かりの漏れてくる窓があるときだけ。

ヴィクトルとセルゲイとミーシャは、家を出て、鳩小屋が三つ立っている空き地に向かってゆっくり歩いた。足元で雪がきゅっきゅっと鳴っている。凍てつく大気が頬を刺す。

「あれ、見てよ！」セルゲイが急ぎ足で何歩か先に進んで、言った。鳩小屋の脇、雪の中に、擦り切れた青いコートを着た男が倒れている。セルゲイはそのそばで足を止めた。「この近所のやつだ！　ポリカルポフだよ。一三号室の。一番近い建物の入り口まで引っぱっていって、暖房にあたらせないと凍え死んじまう！」

二人は一緒に青いコートの襟をつかんで、雪の中、酔っ払ったポリカルポフを、近くの五階建ての建物のほうへ引きずっていった。うしろから、おぼつかない足取りでペンギンのミーシャがついてくる。

ヴィクトルとセルゲイが建物の玄関から出てくると、ミーシャが大きな番犬と鼻を突きあわせて立っていた。互いに互いの匂いを嗅いでいるみたいだ。玄関から人が出てくるのを見て、番犬はどこかに走っていってしまった。

16

翌朝、電話で起こされた。

「もしもし！」受話器を取って、寝ぼけた嗄れ声を出した。

「やあ！　デビューおめでとう！　起こしてしまったみたいですね」

「どっちみち起きる時間ですから！」編集長の声だとわかってそう返答した。「で、どうしたんですか」

「初めて載ったんですよ！　そうそう、具合はどうです？」

「だいぶよくなりました」

「じゃ、編集部に来て下さい！　お手柄を検討しあいましょう」

顔を洗って朝食を済ませ、お茶を飲んだ。様子を見にいくと、ミーシャはモスグリーンのソファの陰、お気に入りの場所で、まだ立ったまま眠っている。

キッチンに戻り、ミーシャの鉢に冷凍タラを入れ、コートをはおって外に出る。

通りには、降ったばかりの雪が積もりはじめている。暗い灰青色の空が、五階建てのアパートの屋根ぎりぎりのところまで低く垂れこめている。穏やかな日で、あまり寒くない。

バスに乗りこむ前に『首都報知』の最新版を買った。バスの中でクッションのきいた席にゆったり腰をおろし、新聞を開いた。タイトルに目を走らせ、ようやく上のほうに、黒い太枠で囲まれた四角い記事を見つけた。


作家で議員のアレクサンドル・ヤコルニツキー氏が亡くなりました。議会ホール三列目の革張りの椅子が空席になったわけです。この席にはまもなく別の人が座ることになるでしょうが、ヤコルニツキー氏を知る多くの人の心には、ぽっかり穴があいたような感覚、深い喪失感が巣くうでしょう……。


「これが初めて載った記事か……」

でも、たいして嬉しくなかった。もっとも、どこか体の奥のほうから、ひさしく忘れていた自己満足の感情が湧きあがってきたが。記事を最後まで読んだ――どの言葉もちゃんと原稿どおりに並んでおり、編集者のハサミが入れられた形跡はない。

署名のところ、このほとんど慣用表現となっているペンネームのところに目が行った。「友人」と「一同」という二つの言葉を組みあわせるだけで、何人なのか人数を隠すことのできるペンネーム。愉快なのは、ヴィクトルが原稿に書いたとおり、どちらの言葉も最初の文字が大文字になっているところだ。つまり、編集部は署名にすら直しを入れなかったということになる。本当に、一介のジャーナリストとしてではなく、尊重すべき作家として扱ってもらったんだ。

新聞を膝の上に置いて、窓の外、バスに向かって迫ってくる街並みを眺めた。

「あそこ見てごらん、小鳥がいるよ！」前に座っていた母親が、上を指さしながら子供に言った。なにげなく母親の指さすほうを見ると、バスの天井でスズメがバタバタもがいていた。

17

編集長は、まるで一年ぶりに会うかのようにヴィクトルを嬉しそうに迎えた。コーヒーにコニャック、それにエレガントな細長い封筒に入れた一〇〇ドルを振舞われる。祝い事になくてはならないものだ。

「さあて」編集長がコニャックのグラスを手にして言った。「やっと緒についた。他の〈十字架〉も、いつまでも放っておかれないことを願いたいですな」

「で、どんなふうに死んだんですか」

「六階の窓から転落死です。窓ガラスを拭いてたようだが、ただどういうわけか自分の家ではなかった。しかも夜中だったとか」

二人はグラスを合わせて酒を飲んだ。

「じつはね」編集長は腹を割って親しげに話しだした。「もう他社の編集者から何本か電話があってね。羨ましがってるんだ。寄生虫どもめ！　この私が新しいジャンルを発明したなんて言ってやがる！」編集長はご満悦でにやりとした。「これは、もちろん君の功績ですよ！　でも君は、うちでは覆面作家だから、いいことも悪いことも全部私が引き受ける！　いいね？」

頷きはしたが、ジャーナリスティックな名誉でも何でも名誉には変わりないのに、スポットライトのあたるところに出られないのは、正直なところ悔しかった。どうやら編集長は、こちらの目に何かを感じたらしい。

「気にしないことだ。いつか作者の本当の名前がわかるときが来るさ、そうしたいなら……。でも当面は、だれも知らない『友人一同』でいるほうが君のためにもいいんだ。しばらくしたら、その理由がわかるよ。ついでに言っておくと、フョードルから受け取る書類の情報だけど、線を引いてある部分は全部生かすってこと忘れないでくれ。そっちが哲学的に考察してる部分もカットしないから。本当を言うと、その部分は故人とはまったく何の関係もないけどな……」

ヴィクトルは頷いた。コーヒーに口をつけ、ほろ苦い味を感じたとたん、ふとハリコフのホテルのバーが脳裏をよぎった。あの朝、銃の乱射音がして予定よりも早く目が覚めたことを思いだした。

「イーゴリ」思いきって切りだした。「あのときハリコフで何があったのか教えてくれ」

編集長はコニャックをグラスに注いで溜め息をつき、視線を上げ、ブレーキをかけるようにヴィクトルの上で止めた。

「『若い闘士がふいに頭を垂れた』」編集長は小さな声で歌いだした。「『共産青年同盟《コムソモール》の心臓に穴があけられた……』うちはたいへんな被害を受けててね……。これでもう七人目なんだ。殉職記者の部屋を作ってもいいくらいだよ……。まあ、そんなこと君には何の意味もないけどな！　あまりものを知らないほうが長生きできる！……」編集長はそう言ってから、打って変わって疲れたような声でつけ加えた。「このことはもう君には関係ない。他のやつらよりちょっとばかり多く知っているが……。まあいいだろう……」

ヴィクトルは自分が好奇心にかられたことを早くも後悔していた――編集長と「差し」で飲むというささやかなお祝い気分はいつのまにかあとかたもなく消えていた。

18

一一月も終りに近づき、秋が深まったと思ったら、一気に冬本番だった。子供たちは雪合戦をしている。刺すような寒気が襟元から入りこんでくる。自動車は、互いに互いを恐れているかのように道路をゆっくり走り、道自体、雪でずいぶん狭まっている。寒さのせいであらゆるものが小さく短く縮んでいる。管理人がせっせと大きなスコップで掻き寄せているので、道端の雪の山だけが大きくなっていく。

ヴィクトルは、〈ペンギンじゃないミーシャ〉に頼まれた二つ目の〈十字架〉原稿を書きあげて、窓の外を眺めた。何もしたくなかったし、この日は出かける用事もなかった。部屋の中があまりに静まりかえっているので、冷蔵庫の上に置いてあるラジオをつけた。スピーカーから、議会の呑気そうなざわめきがシュルシュルいいながら噴きだしてくる。ボリュームをしぼって、ヤカンを火にかける。時計を見ると、夕方の五時半。一日の終りというにはちょっと早すぎるな、と思う。

部屋に行き〈ペンギンじゃないミーシャ〉に電話する。

「原稿できてるよ！」とミーシャに報告した。「取りに来てくれていい」

ミーシャはやってきたが、一人ではなかった。一緒にアパートに入ってきたのは、好奇心のかたまりのような丸い目をした小さな女の子だった。

「娘なんだ」とミーシャは言った。「だれも預ける人がいなくてね……。ヴィクトルおじさんに、なんて名前か言ってごらん！」ミーシャは娘のほうに屈んで、赤茶色の小さな毛皮コートのボタンをはずしにかかった。

「ソーニャ。もう四つだよ」少女は下からヴィクトルを見上げて言った。「ペンギン、かってるってほんと？」

「ほらほら、まだ中にも入らないうちから……」ミーシャは娘のコートを脱がせ、次に足をブーツから出すのを手伝ってやった。「さあ、入ろう！」

親子は客間に行った。

「ペンギン、どこ？」きょろきょろ見回しながら、ソーニャがまた聞いた。

「ちょっと待って、すぐ見つけてあげるからね！」

まずキッチンに行き、書いたばかりの〈十字架〉を二つ持ってきてミーシャに渡した。それから寝室に行く。

「ミーシャ！」と呼んで、モスグリーンのソファのうしろを覗いた。

ミーシャはじっと壁を見つめて自分の寝床に立っている――三重にたたんだ古い毛布の寝床だ。

「どうした？」ペンギンのほうに身を屈めて尋ねた。

ペンギンは目を開けたまま立っている。

「病気になったのかな」とヴィクトルは思った。

「ペンギンさん、どうしたの？」音もなくソファに近寄ってきたソーニャが聞いた。

「ミーシャ、うちにお客さんが来たんだよ！」

ソーニャはペンギンの近くまで行って体を撫でた。

「びょうき？」ソーニャはペンギンに聞いた。

ペンギンはぶるっと身震いし、首を回して少女を見た。

「パパ！」ソーニャが呼んだ。「ペンギンさん、くび、まわしたよ！」

ヴィクトルはソーニャとペンギンを残して客間に戻った。〈ペンギンじゃないミーシャ〉は肘掛け椅子に座って、ふたつめの追悼文を読んでいるところだった。注文主の表情からして、満足していることがわかる。

「上々だ！」〈ペンギンじゃないミーシャ〉は言った。「感動的な書き方だ！　これを読むと、人間なんて糞ったれだが、それでもかわいそうなもんだってことが身にしみる……。ねえ、お茶、ご馳走してくれるだろ？」

二人はキッチンに移ってテーブルにつき、ヤカンの湯が沸くまで、天気のことやその他とりとめもないことを話した。お茶が茶碗に注がれると、〈ペンギンじゃないミーシャ〉はヴィクトルに封筒を差しだした。

「原稿料だ。近々もう一人注文すると思う。覚えてるだろ、チェカーリンのこと書いてもらったじゃないか」

ヴィクトルは頷いた。

「やつ、今のところ持ち直してて ね……。ファックスで君の書いたものを送ったんだ……。気に入ったみたいだ……。まあ、ともかく心を動かされてた!」

「パパ、パパ」隣の部屋から女の子の声が聞こえてきた。「ペンギンさん、おなかすいたって!」

「ペンギン、口きくのか?」〈ペンギンじゃないミーシャ〉はヴィクトルを見て笑った。

ヴィクトルは冷凍庫からタラを出して、鉢に置いてやった。

「ソーニャ、食事の用意ができたってペンギンさんに言ってくれない?」ヴィクトルはおどけた声で言った。

「きこえた?」女の子の低い声が聞こえてきた。「しょくじだって!」

ペンギンが先にキッチンにやってきて、そのうしろからソーニャがついてきた。ソーニャはペンギンを鉢のところまで送ってきて、〈ペンギンのミーシャ〉がタラを食べる様子を面白そうに見ている。

「でも、なんでこのペンギン、ひとりぼっちなの?」首を上げてソーニャが聞いた。

「さあねえ」ヴィクトルが答えた。「でも、ぼくと一緒に住んでるんだから、独りぼっちじゃないよ、二人さ……」

「わたしもパパとふたりだよ」ソーニャが言った。

「おしゃべり屋さんだな！」〈ペンギンじゃないミーシャ〉がふうっと息を吐いて、お茶を一口飲んだ。そしてまた娘を見た。「支度しなさい。うちに帰る時間だよ！」

ソーニャはうなだれてキッチンを出た。

「子犬か子猫でも買ってやらないといけないかな……」〈ペンギンじゃないミーシャ〉は、娘のうしろ姿を目で追いながら言った。

「また連れてくればいいじゃないか。ペンギンと遊ばせてやろう！」ヴィクトルは申し出た。

外は墨を流したような冬の夜。かすかに聞き取れるラジオの声がチェチェン情勢を伝えている。キッチンのテーブルにタイプライターを置いて、それに向かう。孤独を感じ、短編でも書きたい気分だった。せめてソーニャのためにお伽噺を書いてやりたい。でも頭の中で鳴っているのは、まだ書いてない〈十字架〉のしみじみと心に染み入る哀しいメロディだった。

「俺も病気になったんじゃないだろうな」タイプライターから飛び出ている白紙を見やりながら考えた。「いや、無理をしてでもたまには小説くらい書いていないと、気が変になりそうだ……」

そばかすだらけのソーニャのおかしな顔を思い浮かべた。頭の天辺で赤毛をゴムでちょこんと結わえていた。

ヴィクトルは考えた。今の世の中、子供時代を過ごすのは大変だし、いたいけな子供にはあんまりだ。この国も奇妙なら、ここの生活も奇妙だ。でも、なんでそうなのか理由を知りたいとも思わない。ただ生きのびたいと思うだけだ……。

19

何日かして、編集長から電話がかかってきた。慎重に行動するよう、編集部には当面来ないよう、用がないかぎりのこのこ出かけないようにと言い渡される。

その電話に動揺して、話が終わってからもまだ受話器を耳にあてたままだった。受話器からはしばらくの間、プープー音が鳴っていた。「いったい何があったんだろう」と思ったが、そのときも耳の中でまだ編集長の声が響いていた。落ちつき払って自信に満ちた、どことなく教師を思わせる声。ヴィクトルは肩をすくめた。電話の内容を深刻に受けとめたわけではないが、もたもたしているうちに、いつのまにか二時間も余計に朝の時間が過ぎてしまった。のろのろ髭を剃り、わけもなくワイシャツにアイロンをかけたが、着るつもりはなかった。

昼ごろ家を出た。新聞を買い、食料品店でミーシャのための魚を買う。同じ店で、自分用にバナナを一キロとソーセージも買った。

家に帰って新聞に目を通したが、編集長の電話の謎解きをしてくれるような記事はない。そのかわり目に飛びこんできたのは、いくつか聞いたことのない名前だった。すばやくノートを取りだして、今後の仕事のためにそれらの苗字を書き写しておいたが、仕事をする気にはなれなかった。すっかり力が抜けてしまっている。買い物袋の置いてあるキッチンのテーブルの前に座り、袋からバナナを取りだした。

キッチンのドアがぎいっと軋んで開いた。ペンギンのミーシャが入ってきた。主人の目の前で立ち止まり、ねだるようにこちらを見ている。

「そら！」ペンギンの鼻先にかじりかけのバナナを突きだす。

ペンギンは体全体で前のめりになり、嘴でバナナを一かけらむしり取った。

「なんだ、お前」ヴィクトルは驚いた。「サルか？　気をつけてくれよ、腹でもこわしたら、どうやって医者を見つけりゃいいんだ。ここじゃ人間の医者だって足りないんだぜ！　魚にしよう！」

キッチンは静まりかえっていて、ペンギンがタラをむさぼるぴちゃぴちゃいう音と、何か深く考えこんでいるヴィクトルの息遣いがするほかは物音ひとつしない。ヴィクトルは重苦しく溜め息をついてようやく立ちあがり、ラジオのスイッチを入れた。受信機からパトカーのサイレンが流れた。「ラジオドラマかな？」と思ったが、違っていた。それは「衝突現場」からのリポートだった。今回の「衝突現場」はほぼ中心街と言っていいところで、クラスノアルメイスカヤ通りとサクサガンスキー通りの交差点だった。ボリュームを上げて聞き入る。興奮したリポーターの声が、アスファルトに血だまりが残っていること、通報後三〇分もしてからようやく救急車が三台来たこと、死者七名、怪我人が五名出たことなどを伝えている。最初の情報によると、死んだ人の中にスポーツ省次官のストヤーノフ議員が含まれていることがわかったという。その苗字を聞いて、思わずノートを開き、メモをチェックした。亡くなったばかりのストヤーノフについて、やはりメモがあった。自分で自分に頷き、ノートを開いたままにして、またラジオにかじりついた。しかしリポーターは、先ほど伝えたことをただ繰り返すばかりで、それ以上のことはわからないようだ。リポーターが、三〇分したらもう一度中継して最新情報を伝えます、と約束すると、すぐに女性がかわり、感じのいい声で休日の天気予報を伝えはじめた。

「明日は土曜日か」と思い、ペンギンを振り返った。

家で仕事をしているので、ウィークデイと休日を区別する感覚がなくなっている。仕事はしたければするし、したくなければしなくていい。でも、どちらかと言うと、仕事をしたいと思うほうが多かった。他にすることがないだけなのだけれど。短編を書こうとか、本物の中編(いや長編でもいいのだが)に取りかかろうとかしても、うまくいかなかった。追悼文という独特のジャンルを見つけたのはいいが、かえってその枠組に縛られてしまい、〈十字架〉を書いていないときでも〈十字架〉のことを考えているか、あるいは、どうしたら端正で悲痛な調子の文章になるか考えているのだった。そうした文章は、故人の経歴からちょっと逸れた哲学的瞑想として、どの追悼文にも使おうと思えば使うことができ、実際ときどき使っていた。

セルゲイに電話する。

「フィシュベイン少尉です!」受話器から、聞き覚えのある、はきはきした声がした。

「セルゲイ? やあ、俺」

「え?」どうやらわからなかったらしく、セルゲイは聞き返した。

「ペンギンを飼ってるヴィクトル」

「なんだ、最初からそう言ってくれればいいのに!」セルゲイは喜んだ。「変わったことない? ミーシャはどう?」

「元気だよ! ねえ、明日は非番?」

「そうだけど」

「いい考えがあるんだけど、乗る?」ヴィクトルは期待して尋ねた。「ただ車が必要で。警察の車でも何でもいいんだけど……」

「犯罪行為でさえなければ、もちろん賛成……。でも警察の車じゃなくてもいいでしょ。マイカー、持ってるんだ」とセルゲイは笑いながら言った。

20

凍えるような寒い土曜日の朝、ニージニー・ラフスキー庭園の近く、ドニエプル川の河岸通りに赤い小型車「ザポロージェツ」が止まり、中からヴィクトル、ペンギンのミーシャ、セルゲイが出てきた。セルゲイはトランクから、ぎゅうぎゅう詰めのリュックを引っぱりだして、背中にしょった。二人の男とペンギンは、石の階段を凍りついた川のほうにおりていった。

ドニエプル川は厚い氷が張っている。氷の上には釣り人たちが、互いに「礼儀正しい」距離をあけて、じっと動かない太ったカラスみたいに座っている。一人一人がそれぞれの氷の穴のそばにいる。

釣り人たちを脅かさないような道筋を選んで、ヴィクトルとセルゲイとミーシャは、岸から離れ、ドニエプル川の中ほどに進んだ。

だれもそばにいない氷穴があるたびに立ち止まったが、どれもすでに凍りついているか、小さすぎるかだった。

「入り江に行こう！」セルゲイが提案した。「あそこなら、セイウチの集まる場所があるはずだから……」

ドニエプル川を渡り、それから島の「尻尾」の部分にあたる細長い陸地を横断した。

「ほら、見てよ！」セルゲイが手で前方を指した。「青い点のようなもの、見えるだろ？」

そちらに行きかけ、とても大きな氷穴が現れ、そのあたりに動物の足跡がいくつも残っているのが見えてくると、ミーシャは駆けだし、水しぶきもあげずに滑らかに水に飛びこんだ。

ヴィクトルとセルゲイは、氷の混ざった黒々とした水がゆらゆら揺れるのを目にして、息を呑んだ。

「ねえ、水に深く潜って、ものが見えるのかな？」セルゲイが聞いた。

「たぶんね……」ヴィクトルが答えた。「見るべきものがあればだけど」

セルゲイは背中のリュックをおろし、中から綿入りの古い毛布を取りだして、氷の穴から二メートルほど離れたところに敷き、ヴィクトルを呼んだ。

「座ろう！　みんなそれぞれにお楽しみだ」

腰をおろした。セルゲイはもうリュックから紙袋を出し、そこから魔法瓶とプラスチックのコップをふたつ取りだしている。

「まずはコーヒーから！」

コーヒーはちょっと甘かったが、この寒さの中で飲むとじつに美味しく感じられる。

「こっちは何にも持ってこなかった……」飲みかけのコーヒーで手のひらを暖めながら、ヴィクトルは残念そうな声で言った。

「いいよ。次に何か持ってくれば。コニャック、要る?」

セルゲイは、コーヒーにコニャックを入れて、平たい酒瓶をジャンパーのポケットにしまった。

「さあ、飲もう」コップを持った手を上げた。「ありとあらゆる素敵なことに乾杯!」

二人が飲み干すと、体や頭がほかほかしてきた。

「ミーシャは溺れたりしないよね」セルゲイが、大きな氷穴のほうを見て聞いた。

「まさか……」ヴィクトルは肩をすくめた。「そもそもペンギンのことって、まったく知らないな……。いい本でもないかと思って探したこともあるんだけど、見つからなかった……」

「何か手に入ったら、知らせるよ!」セルゲイは約束した。

心配になってきた。まわりを見回すと、一番近くにいる釣り人まで——ということはその釣り人の氷穴までということだが——三〇メートルくらいある。釣り人は、箱のようなカバンに座って、一リットル入りの遠征用水筒をときどき口に持っていっているようだ。

「ちょっとぶらついてくる!」と、ヴィクトルは、さっきからずっと一番近くに座っている釣り人から目を離さずに言った。

「いや、まだここにいようよ。もうちょっとコニャックを飲もう。ミーシャは飛びこんだところに泳いで戻ってくるさ。溺れるわけない、大丈夫!」

氷穴でごぼごぼと音がしたので、すぐにそちらを見た。氷の混じった水面がゆらゆら揺れている。

「飲もう、ミーシャに乾杯！」セルゲイはコニャックの入ったコップを持ちあげた。「人の数は多いのに、ペンギンは少ししかいない。ペンギンを大事にしなくちゃ！」

二人が酒を一口飲んだとき、叫び声がして、冷たい空気に張りつめていた静けさが破られた。叫び声のしたほうを向くと、五〇メートルほど離れたところにいる釣り人が、自分の氷穴から飛びのいて、両手で穴を指しているのが見えた。他の釣り人二人が、短い釣竿を氷穴に垂れたまま、もうそちらに向かっている。

「どうしたんだろう」セルゲイがつぶやいた。

ヴィクトルは、コニャックをちびちび飲みながら、五〇メートル離れたところで起こっている出来事から目をそらした。そして、毎日毎日何かかならず新しいことが起こるが、それは前もって予定していたこととはぜんぜん違う、と考えた。いつか何かよくないこと、もしかしたら死をもたらす日がやってくるんじゃないか、とも思った。

「見て！　見てよ！」セルゲイが肩をぽんと叩いてきた。

はっと我に返ったようにセルゲイの顔を見て、それから相手の視線の先を追って首を曲げ、ペンギンのミーシャがこちらに近づいてくる姿を目にした。島のほうからやってくるところだ。

「どこで浮かびあがったんだろう？」セルゲイは驚きを声に出した。

ペンギンはどんどん近づいてきて、氷の上に敷かれた毛布の端で立ち止まった。

「ミーシャにもコニャックやろうか」とセルゲイが冗談を言った。

「さあ、おいで、こっちにおいで、ミーシャ！」ヴィクトルは毛布を手のひらで叩いてペンギンを呼んだ。

ミーシャはぎこちなく一歩前に出て、ぴょんと毛布に乗り、セルゲイの顔を、それから主人の顔を見た。

セルゲイはまたリュックに手をつっこみ、今度はタオルを取りだしてペンギンをくるんだ。

「風邪ひかないようにさ！」と説明した。

ペンギンはそのままタオルにくるまって五分ほど立っていたが、やがて体からタオルを振り落とした。

うしろで足音がしたので振り返る。

何歩か離れたところに、近くの氷穴の「持ち主」が立っている。

「どうした？　釣れるかい？」セルゲイが聞いた。

その釣り人は、いや、というように首を横に振ったが、その間もペンギンから目を離さなかった。

「あの」とうとう釣り人は切りだした。「ペンギン飼ってんのかね、それとも、俺ができあがっちまってんのかな」

「できあがってるんだよ」セルゲイの声は誠実そのものだった。

「ああ、なんてこった！」釣り人は驚いたように息を吐いた。

そしてなぜか不器用に手を振り回し、回れ右をして、自分の氷穴に戻っていった。

二人ともそのうしろ姿を目で追った。

「これで酒を少しは控えるようになるかもね！」セルゲイの声には期待が込められていた。

「ねえ、今は勤務中じゃないんだから！」ヴィクトルが咎めるように言った。「酔っ払いを脅かしたら気の毒だろ！」

「職業上の癖かな」セルゲイは笑顔で言い訳をした。「おなかすいた？　それとももう一杯ずつコニャックいこうか？」

「コニャックがいいね！」

ペンギンが急に足を交互に踏みかえながら、ヒレとも羽ともつかないもので自分の脇腹を叩きだした。

「なんだ、トイレに行きたいのかな？」セルゲイは薄笑いをし、コニャックのふたを回した。

ミーシャは、その間に毛布から氷の上に移り、おかしな格好でペタペタ走って、また氷穴にどぼんと飛びこんだ。

21

日曜から月曜にかけての真夜中、ヴィクトルはしつこい電話の音に起こされた。結局は目が覚めたものの、起きあがる気になれず、電話してきた人が痺れを切らせるのを、横になったままじっと待っていたが、相手もなかなか辛抱強かった。ペンギンまで目を覚まして呻き声をあげている。

起きあがり、ふらふらした足取りで、鳴りつづける電話のほうに行った。

「まったく冗談じゃない！」と、受話器を取りながら思った。

「もしもし、ヴィクトル?」編集長のじれったそうな声だった。「起こして悪かった! 急ぎの仕事なんだ! 聞いてるか?」

「ああ」

「これから使いの者に封筒を持たせて、そっちに遣《や》る。使いは玄関先に車を止めて、その中で待ってるから、できるだけ急いで〈十字架〉を書いてくれ。明日の朝刊に載せなきゃならないんだ!」

サイドテーブルに載っている目覚まし時計を見た。一時半だ。

「わかった」

青いバスローブをはおり、洗面所に行った。冷たい水で顔を洗う。それからキッチンに行き、ヤカンをレンジにかけて、タイプライターをテーブルに置いた。夜の中庭は静かだったが、何か聞こえないかと耳を澄ます。向かいのアパートを見ると、明かりが灯っている窓は全部でふたつしかなかった。

他人が眠れないでいると思うと不安になった。すでに眠気は消えていつもの自分に戻っているが、ただ頭が重い。

何も書いてない紙を取りだしてタイプライターに挿しこみ、また外の静けさに耳を傾ける。その静けさの中から車の音が聞こえ、アパートの正面玄関に近づいてきた。車のドアのばたんという音。

座ったままで、チャイムの音がするのを辛抱強く待った。でも、しばらくして聞こえたのは、チャイムではなく用心深いノックの音だった。

五〇がらみの寝ぼけ顔で目の充血した男が、大きな茶色の封筒を差しだした。

「下の車の中で待ってます。もし寝てたら、ドアを叩いてください」男は中にも入ってこないでそう言った。

ヴィクトルは頷いた。

タイプライターの前に座って、おもむろに封筒を開け、中に入っている紙と芝居のプログラムを取りだす。

「ユリヤ・パルホメンコ、一九五五年生まれ。一九八八年より国民オペラ劇場のソロ歌手。既婚、子供二人」タイプで打ってある内容を読んでいく。「一九九一年、胸の手術を受ける。一九九三年、国民オペラ劇場の歌手イリーナ・サヌチェンコの失踪事件に関して証人として法廷に召喚される。サヌチェンコとは、だれもが認める犬猿の仲だった。一九九五年、イタリアへの公演旅行に参加するのを断わったため、予定されていた外国公演があやうく頓挫しそうになった」

ここからあとは手書きでつけ加えられている。「最も親しくしていた友人、作家で議員のヤコルニツキー氏の死は苦しい試練だった。ヤコルニツキー氏と知りあったのは、一九九四年マリインスキー宮殿で催された、議員たちによるウクライナ独立記念日の非公開祝賀会に出演したときである」この箇所には赤鉛筆でアンダーラインが引いてあり、そこで先日、編集長が言っていたことを思いだした。

線の引いてあるところを何度か読みなおした。情報は少なめだったけれど、考えはじめるともう、これから生まれる原稿の悲劇的な調子が浮かんできた。

芝居のプログラムに目を通すと、二ページめに、このソロ歌手のカラー写真が載っていた。すらりとした美しい女性で、たぶん頬紅をつけているのだろうが、頬が鮮やかな赤い色をしている。目はアーモンドのように切れ長で、栗色の髪は一様に波打って肩から垂れている。舞台衣装もよく似合っていた。

またタイプライターに挟んだ白紙に気持ちを集中させた。

アラブ人にとって白は喪の色だといいます。

文字を奏でる鍵盤に指を持っていきながら考えた。

この世の生きとし生けるものには声があります。声は生きている証拠であり、幸せと悲しみの兆しでもあります。声は、大きくなることもあれば、途切れることもあり、詰まることもあれば、かろうじて聞き取れるくらいの囁きに変わることもあるでしょう。私たちが生の合唱をしているときは一人一人の声を聞き分けることは易しくありませんが、急に押し黙るようなことがあると、どのような音、どのような生にも終わりがあり有限なのだという感覚にとらわれます。多くの人々に愛された声を、私たちはもう耳にすることができなくなってしまいました……。思いもよらず、あまりにも早く、その声は消えてしまったのです。世界は以前よりずっと静かになってしまいました。でもその静寂は、平安を愛する者が求めるような類の静けさではありません。ここにあらわれた静寂は、宇宙に穿たれた黒い孔のごとく、どのような音も有限だということ、過去や未来の喪失は無限だということを強調するばかり

なのですから……。

椅子から立ちあがり、お茶を淹れて、茶碗になみなみと注いでテーブルに持ってきた。

……ユリヤ・パルホメンコの声は消えてしまいました。しかしマリインスキー宮殿の壁がある以上、円屋根の内側の金箔が国民オペラ劇場の壮麗さを映しだしている以上、ユリヤは私たちが呼吸している空気の中に金粉となって溶けこみ、私たちの中に生きつづけることでしょう。その声は、ユリヤが残した静寂の金箔となるでしょう。

「金粉や金箔がちょっと多いかな」手を休めて考えた。また経歴の書いてある紙をとって、もう何度目になるだろう、線の引いてある手書きの箇所に目を走らせた。

「この文章のどこにヤコルニツキーを入れればいいんだ？　愛？　愛……」

考えこみ、お茶を一口飲んだ。書いた原稿を読み返し、続きを考えた。

つい最近、ユリヤ自身が辛い喪失を経験したばかりでした。愛する人の声が途絶え、突然黙りこくってしまったのです。愛する人の声は、叫び声となって下へ、奈落へと滑り落ちていきました。死の引力の法則によって、あらゆるものが老年を迎え、闘い終えて、あるいはただ敗北を喫して、奈落へと落ちていくのです。

ここまで書いてまた気がそれ、プログラムを手に取って、さっきよりずっと注意深く見て、かすかに微笑んだ。

つい最近、プッチーニのオペラのトスカ役を演じたユリヤは、自分自身の悲劇をあますところなく、最後に城砦の壁から飛び降りるところまですべて演じつくし、歌いつくしました。死に方が大事なのではありません。どんな最期でも構わないのです。でも私たち、ユリヤの人生そのものに耳を傾けてきた者たちには、今や辛い課題が待ち受けています――それは、静寂に慣れ、その静寂の中でユリヤが昔存在したという証しである金粉を探しだすことでしょう。皆でともに黙しましょう。そうすれば、訪れた静寂の只中でユリヤの声を容易に聞きわけることができるでしょう。私たちの声が静寂と永遠に溶けこむまで、ユリヤの声を聞いて覚え、長く記憶に留めようではありませんか。

ヴィクトルは背を伸ばし、一〇〇メートルを走り終えたばかりの選手のように呼吸を整えた。とてもタイプライターで文字や言葉を打っていたとは思えない。真夜中に起こされ緊急の仕事で強いられた緊張をほぐそうと、こめかみを指で軽く揉んだ。ともかく、やるべきことはやった。できあがった原稿を手に取って読み、死に方もわからないオペラ歌手がなんだかかわいそうになる。

窓から覗くと、下に車が待っている。

立ちあがって体の向きを変えたとたん、思いがけない光景に立ちすくんでしまった――戸口のあたりからペンギンがこちらをまじまじと見つめているのだ。じっと動かず、目だけが生き生きと燃えているが、何をしてほしいのかは、その目からはまったく読みとれない。ただ主人のあとをついてきただけなのか。これといった考えもなく、理由もなく。

ヴィクトルは重々しく息を吐くと、ペンギンとドアの間をすり抜けて廊下に出て、バスローブの上にジャンパーをひっかけ、手に原稿を握りしめて階段の踊り場に出た。

使いの男は、ハンドルに頭をもたせかけて眠っていた。ガラスを叩くと、男は目をこすり、一言もものを言わずにドアを開け、ヴィクトルの手から原稿を受け取ると、車のエンジンをかけて行ってしまった。

自分の部屋に戻った。夜は台無しだ。眠くなくなってしまったし、体には余分な活力がみなぎっている。

救急箱に睡眠剤があるのを見つけて二錠呑み、まだ温かいヤカンのお湯で流しこんで、寝室に向かった。

22

翌朝一〇時に編集長がまた電話をしてきた。〈十字架〉に満足しているようだ。夜中に叩き起こしたことをもう一度詫び、「二、三日したら編集室に来てもらうが、いいか、来社するとき、記者証を家に忘れてくるなよ。今じゃどの階にも、入り口に警察の特殊部隊が見張りに立ってるからな」と念を押した。

外は寒さでぱりぱりいいそうな冬が続いている。かなり静かだ。

コーヒー沸かしを手に、レンジのそばで、今日一日をどうやって過ごすか、あれこれ考えた。考えようによっては、昨晩働いたんだから、今日はまるまる休日にしてしまったっていい。でも休日というのは、ウィークデイよりもっと面白いことをして過ごさなければならないからかえって厄介だ。というわけで、コーヒーを飲んでから新聞を買いに売店に行き、それから何をするか決めることにした。

二杯目のコーヒーは『首都報知』を手にして飲んだ。真っ先に読んだのは、発行部数五〇万を誇るこの新聞のうしろから二ページめに載った昨夜の労作だった。どの言葉も原稿で書いたとおりに印刷されており、編集長はまったく手を入れてない。もっとも、印刷機が動きだす前に原稿がこのページに「植字」されていた夜間、編集長はどうせ寝ていたのだろうと思うが。同じ新聞の一面に戻り、紙面全体を使って議論を展開している長い社説「戦争は終結せず、休戦の到来」を読んだ。チェチェンのグロズヌィ襲撃のときの写真を思わせる衝撃的な写真をちりばめた紙面に、文章が軍隊さながらに何本もの柱になって並んでいる。無意識のうちに社説に引きこまれた。先を読めば読むほど記事にのめりこんでいく。つまりこういうことだった。ヴィクトルがキエフで何も知らずに普段どおりの生活をしている間に、ほとんど本物の戦闘と言っていいような事件が起こり、「二大マフィア」の解体が進んでいたというのである。少なくとも記事には、そのように書いてある。死者一七名、負傷者九名、五回の爆発。亡くなったのは、編集長の運転手、三人の警察官、なぜかアラブ人ビジネスマン、身元不明の数人、国民オペラ劇場の女性歌手などだ。

他の数紙も読んで気がついたのだが、『首都報知』と比べると、他の新聞はほとんどこの「戦争」に注意を向けていなかった。そのかわり、オペラ劇場の歌手の死についてはもっと多くの紙面を割いている。遺体は、早朝ケーブルカーの下の駅近くで発見され、革のベルトで首を絞められていたという。さらに建築家の夫も行方不明で、自宅アパートは滅茶苦茶に荒らされていた――どうやら犯人は何か探していたらしい。

ヴィクトルは考えこんだ。どうも歌手の死は、マフィアの戦争には何の関係もなさそうだ。これじゃまるで「便乗犯罪」じゃないか。「もしかしたら行方不明の亭主がこの殺人事件に一役買ってるんじゃないだろうか」と思った。「いや、俺自身が手を貸していたりして？」ふとそう考えて自分の考えに突如ぎょっとした。「だって、ヤコルニツキーの追悼文でユリヤのことを書いたのはこの俺じゃないか。もちろん、ユリヤの苗字も出してないし暴露したわけでもないけど、たぶん多くの人には、あまりにもあからさまな仄めかしだったろう……。もしかして、それが亭主にとって最後の引き金になったんじゃないだろうか……」

すぐに自分の立てた仮説で自分がひどくめげているのを感じ、ふうっと重苦しい息を吐いた。

「馬鹿馬鹿しい！」独り言をつぶやいた。「亭主が自分のアパートを荒らすわけないじゃないか」

23

その日は結局、終わってみると、不思議なことに、けっこう充実した仕事のできた一日になった。テーブルの上には〈十字架〉が三つもできあがっていた。窓の外では、冬の夜が黒ずんでいる。淹れたてのお茶が茶碗の上で湯気をたてている。

今日書いた原稿に目を走らせた。どれも短めなのは、だいぶ前から編集部に行っておらず〈十字架〉の主人公たちの追加情報をフョードルにもらっていないせいだった。でもそんなことは問題じゃない。原稿が活字にされないうちなら、いくらでも手を入れ、何度でも書きかえられる。

お茶を飲み終え、キッチンの電気を消して、さあ寝に行こうという段になって、ふいにドアを叩くノックの音がした。

一瞬、廊下に立ち止まり、静かな中で耳を澄ました。それから、その場にスリッパを脱ぎ、裸足でドアのほうに行って、覗き穴に目を当てた。ドアの前に立っているのは、〈ペンギンじゃないミーシャ〉だった。

ドアを開けた。

ミーシャの腕に抱かれてソーニャが眠っている。ミーシャは、挨拶するかわりに会釈しただけで、黙って中に入ってきた。

「どっかに寝かせていい？」娘を見やりながらミーシャが尋ねた。

「あっちにしよう」ヴィクトルは顔を客間のほうへ向け、小声で言った。

ミーシャは客間のソファに娘をおろし、できるだけ音をたてないよう注意して廊下に戻った。

「キッチンに行こう！」とミーシャが言った。

キッチンにまた電気をつける。

「ヤカンをかけてくれよ！」

「さっきから沸いてるよ」

「朝までここにいさせてくれ……」なんだか、ぐずぐずとミーシャが言った。「娘をしばらくの間ここに住まわせてくれないか……。どうかな？　万事けりがつくまで……」

「けりがつかないってこと、あるの？」

しかし返事はなかった。二人はキッチンのテーブルに向かいあって座った。いつもヴィクトルが座る席をミーシャが占め、ヴィクトルはレンジに背を向けている。一瞬ミーシャの目の中に敵意がよぎったような気がした。

「コニャックでも飲《や》ろうか？」黒雲みたいに二人の上に重くのしかかっている緊張した空気をやわらげようと申し出た。

「いいね」客は言った。

ヴィクトルは自分とミーシャに酒を注いだ。二人とも何も言わずに飲んだ。

ミーシャは物思いにふけって指でテーブルをとんとん叩き、まわりを見回し、すぐそばの窓際に最新版の新聞が数部あるのを見て、自分のほうに引き寄せた。一番上の新聞を手に取ると、唇が歪んだ。新聞をもとの窓際に押しやった。

「人生はおかしなもんだ」そう言って溜め息をついた。「人のためになることをしてやろうと思ったただけなのに、蓋を開けてみたら、潜水艦みたいに身を潜めていなきゃならないことになった……」

ヴィクトルは相手の一語一語にじっと耳を傾けたが、風に舞う蜘蛛の巣のようで、何のことを言っているのかわからなかった。

「もう一杯いこうよ」ミーシャがせがんだ。

ミーシャは、二杯目のコニャックを飲んでしまうと、キッチンを出て、ソーニャがソファですやすや眠っている部屋を廊下から覗きこんだ。そしてまたキッチンに戻ってきた。

「何が起こったか知りたいだろ?」ミーシャは、こちらの目を見つめて、さきほどより弱々しい声でゆっくり尋ねてくる。

黙っていた。もう何も知りたくない――眠かったし、〈ペンギンじゃないミーシャ〉の行動がおかしいので、いい加減うんざりしてきた。

「銃撃や爆発のこと、もう知ってるよな」ミーシャは新聞のほうを顎でしゃくって言った。

「それで?」

「だれのせいでこうなったかわかるか?」

「だれなんだ?」

ミーシャは疲れたような意地の悪そうな笑みを浮かべ、しばらく口をつぐんでいた。

「あんただよ……」

「なんで、そんな」

「まあ、あんただけってわけじゃないけどね、もちろん……。でもあんたがいなけりゃ、こんなことは起こらなかった……」ミーシャは瞬きもせずにこちらを見つめていたが、その視線はどこかもっと遠くに向けられているような気がした。「あんたは馬鹿馬鹿しくなっただけなんだろ、察しがついてたよ。なんでって聞いたら、そう言ってたもんな。俺たち、腹を割って話したろ。そういう子供っぽくて素直なところ好きなんだ……。あんたは自分の『作品』が追悼欄に載ることを望んでた。わかるよ。あのとき、未来の死者の中でどれがお気に入りかって聞いたろ……。あんたのために何かしてやりたかったんだ……。もう一杯注いでくれ」

立ちあがって、コニャックをミーシャと自分のグラスに注いだ。自分の手を見て、震えているのに気がついた。

「じゃ、何かい……」呆然として聞いた。「ヤコルニツキーをやったのは君……？」

「俺じゃない、俺たちだ……」ミーシャは言い直した。「でも心配しなくていい。やつが死んで、ヤコルニツキーは、そうされても仕方なかった、いや、仕方ないなんてもんじゃない……。やつは、民営化賛成論者が数人パトロンを失うことになったが、これは別の話だ。やつは、そいつらからも前金を取ってたんだぜ……。その上、自分の身の安全を確保して長生きできるようにって、何やら文書を抱えこんでてね。国会議員連中に関する文書らしい……。上のほうにいる連中も大変だよな……。戦争してるようなもんだから……」

この後やってきた沈黙は長く続いた。ミーシャは窓の外を見ている。ヴィクトルは、頭に血がのぼった状態で今耳にしたばかりのことを考えていた。

「ねえ」ようやく口を開いた。「やつの愛人の死にも、やっぱり俺が……関わってるのか？」

「わかってないね」落ちついた、教え諭すような声でミーシャが言った。「あんたと俺は、トランプを立てて作った家の一番下のカードを引き抜いたんだ。その後起こったことは、トランプの家がすっかり崩れたってだけのことだ。今は、舞いあがった埃がおさまるのをじっと待ってるしかない……」

「俺もか？」ヴィクトルの声には、驚きがないでもなかった。

ミーシャは肩をすくめた。

「それは人によって考え方が違うだろ」とミーシャは言いながら、自分で自分のグラスに酒を注いだ。「でも、気に病むことはないんじゃないか。あんたはどうもちゃんと守られているようだから……。だからこそこうして、ここに来たんだし……」

「守られてるって、だれに？」

ミーシャは、さあね、と言うように両手を広げた。

「はっきり知ってるとは言ってない。ただそう感じるだけだよ。守られてなきゃ、あんたはとっくにお陀仏になってたろう……」

ミーシャは考えこんだ。

「ひとつ頼みごとしていいかな」少ししてから聞いてきた。

ヴィクトルは頷いた。

「先に寝てくれないか。俺はもう少しここにいる……。考えたいことがあるんだ……」

寝室に行って横になったが、眠れない。しーんと静まり返った部屋。耳を澄ましても、静寂を破るようなものは何もない。何もかもが深い眠りに落ちているような気がする。すると突然、客間から子供のむにゃむにゃ言う声が聞こえてきた。耳をそばだてると、「ママ……ママ……」とソーニャが寝言を言っているのだった。

「そういえば、ソーニャの母親はどこにいるんだろう」と思った。

とうとう眠りについた。

しばらくすると、モスグリーンのソファのうしろからペンギンが出てきて、少しだけ開いている、客間に通じるドアのほうへのろのろと歩きだした。客間を通り過ぎるとき、眠っている少女のそばでちょっと足を止めて、少女を注意深く見つめた。それからまた先に進み、廊下に出た。次のドアを押して、キッチンに足を踏み入れた。

ペンギンが目にしたのは、主人のいつも座る席に見知らぬ男がいる光景だった。テーブルに突っ伏して眠っている。

数分の間ペンギンは、ドアのそばに立ってじっと動かずに男を眺めていたが、やがて向きを変え、来たほうに戻っていった。

24

サイドテーブルの目覚ましを見ると七時だ。外はまだ静かで暗い。頭が痛くて目が覚めたが、しばらく仰向けのまま天井を見て、昨日のミーシャとの会話を思いだしていた。頭は痛いものの、昨夜の客にぶつければよかったと思う質問がいくつか浮かんできた。

ゆっくり音を立てないように起きあがった。ガウンを着て客間に行く。

ソーニャはまだ眠っている。ヴィクトルのグレーのコートにくるまれている。コートのかけ方に思いやりが感じられた。冬になったのに、いまだに玄関の洋服掛けにかかっていた秋物のコートだ。

自分に発破《はっぱ》をかけ、思いきって廊下に出て、キッチンのドアの前で立ち止まった。ドアは開いており、キッチンは蛻《もぬけ》の殻だった。テーブルの上にメモがある。


そろそろ時間だ。ソーニャを置いていく。あんたなら責任を持って面倒を見てくれるだろう。埃がおさまったら姿を見せる。　ミーシャ

メモを読んで虚をつかれ、手書きの二行の文面に目をやったままテーブルの前に座って、ミーシャにぶつけることのできなかった質問を頭から追い出そうとした。

外が少し明るく灰色がかってきた——色褪せた冬の夜明けが夜を打ち負かそうとしているのだ。

客間でソファのきしむ音がしたので、そちらに気がそれた。振りむいて立ちあがり、客間を覗いた。

ソーニャがソファに腰かけて目をこすっている。ようやく手を顔から離してヴィクトルだとわかると、尋ねた。

「パパ、どこ?」

「出かけたんだ……」少女を見つめて言った。「君はしばらくここで暮らすんだってパパが言ってたよ……」

「ペンギンと?」ソーニャは喜んだ。

「そう」ヴィクトルの言い方はかなりそっけなかった。

「きのうね、うち、まどのガラス、わられちゃったの……」ソーニャが言った。「それで、とってもさむかった」

「君んちのガラス？」

「うん」少女は信用しきった様子で言った。「ものすごいおとがしたよ……。がしゃん、がっしゃーんって！」

「おなかすいた？」

「うん、でもオートミールはいや！」

「うちにはオートミールはないんだ。ぼくは少ししか食べないし」

「わたしも」ソーニャはにっこり微笑んだ。「ねえ、きょう、どっかいく？」

「どっか行く?!」ヴィクトルはソーニャの言葉を繰り返して考えこんだ。「さあ……。どこか行きたい？」

「どうぶつえん」

「いいよ。そうだな、まずちょっと、二時間くらい仕事をして、それから行こう……」

25

昼ご飯の魚をペンギンにやり、自分とソーニャにポテトを炒めた。

「明日はもっと食べ物を買うからね！」ソーニャに約束した。

「でも、これよりいっぱいたべらんない」少女は大きな皿を引き寄せて言った。

ヴィクトルは少し笑った。子供に親しく接するのは生まれて初めてだったので、ソーニャの子供っぽい言動を注意深く見ていると、面白かった。自分自身いまだに子供でいるような気がしてくる。ソーニャの人に遠慮しない態度や返事のしかたには、的はずれというわけではないが、なんとなく合っているような合っていないようなところがあって、思わず口元が緩んでしまう。食事をしながら、ちらちらと少女の様子を窺っていたが、少女のほうは、食欲があって食べているというよりは、ポテトをひとつずつフォークに刺して眺めているのが楽しいといった感じだった。ソーニャは向かい側に座っていて、その背とレンジの間を、ペンギンのミーシャが自分の鉢のあたりでせかせか動き回っている。

そのうちソーニャが振りむいて、フォークでペンギンの鉢にベイクド・ポテトをひとつ入れた。ペンギンは驚いたように少女のほうを見てから、おかしな格好で首をかしげた。ソーニャが笑いだした。ミーシャは、首を横にかしげたまま立っていたが、また鉢のほうに向くと、ポテトをぺろりと食べてしまった。

「すきなんだね！」ソーニャが嬉しそうに言った。

お茶を飲み終えてから、ソーニャにコートを着せて、動物園に出かけた。

外は粉雪が舞い、風が強く、しじゅう頬に吹きつけてくる。地下鉄の駅から外に出たとき、ソーニャを目のあたりまですっぽりマフラーでくるんでやった。

動物園の門に掲示がかかっていて、冬期のため来園者は一部の動物しか見られませんと書いてある。

中は人もまばらだった。ソーニャを連れて「トラこちら」の表示にしたがって雪の降り積もっている道を歩く。鉄網檻のそばを通ったが、檻には大きなパネルがかけられていて、シマウマの絵が描かれ、横にその特徴や習性がステンシルで書かれている。

「どうぶつ、どこ?」ソーニャはまわりを見回して聞いた。

「もっとむこうだよ」そう答えてソーニャに微笑みかけた。

さらにいくつか動物の入っていない鉄網檻の前を通ったが、それらにもやはり動物たちの絵の描かれたパネルがかかっている。前方に展示館が見えたが、開いてなかった。

太い鉄格子のはまった檻の中にそれぞれトラ二頭、ライオン、オオカミ、それに名前のわからない猛獣もいた。入り口の反対側に「動物にやっていいエサは新鮮な肉かパンだけです」という掲示がかかっている。どちらも持っていなかった。

いちいち檻の前でしばらく立ち止まりながら歩いた。

「ペンギン、どこ?」とソーニャが尋ねる。

「ここにはいないんじゃないかなあ……。でもまあ、探してみよう、ぱっと見つかるかもしれないからね!」

ミーシャを引き取る前、どの辺でミーシャを見たのだったか思いだそうとしてみる。もう少し先、爬虫類・両生類館や、コンクリート製のヒグマの住処の先だったような気がする。

そっちに行くと、真ん中に氷の張った池のある深い檻があったが、中は空っぽで、格子にかけられたパネルにペンギンの絵が描いてある。

「ほらね、ここにはいないんだ……」

「なあんだ！」ソーニャはふうっと溜め息をついた。「ミーシャをつれてきて、ほかのペンギンさんたちとなかよしにしてあげられたらいいのに……」

「でも、ほら、他のペンギンさんたち、いないでしょ！」ヴィクトルは屈みこんで繰り返した。

「あと、どんなどうぶつがいるの？」

二人はさらに一時間も見てまわった。魚、ヘビ、毛の抜けた二羽のトビ、首の長い独りぼっちのラマも見た。出口に向かって歩いているとき、「学術指導センター」という標識が目に入った。

「ソーニャ、ちょっとあそこに寄ってみよう。もしかしたらペンギンのこと、教えてくれるかもしれない」

「いく！」

平屋建ての建物のたったひとつしかないドアを叩いて、中に入った。

「すみません」机に向かって座って雑誌を読んでいる女性に話しかけた。白髪だが、年とっているというほどでもない。

「はい？」女性は雑誌から目を上げた。「なんでしょう」

「じつはですね。一年ちょっと前に、こちらの動物園でペンギンをもらい受けた者なんですが……。ひょっとして何かペンギンに関する資料はないかと思いまして……」

「ありませんね。ここでペンギンを担当していたのはピドパールィという人だったんですけど、ペンギンがあちこちにもらわれていったとき、その人も辞めさせられて、資料を全部持ってってしまったんです。とんでもないお年寄りで……」

「ピドパールィ？」とヴィクトルは繰り返した。「その人、どうしたら見つかりますか」

「人事課で聞いたらどうでしょう！」女性はそう言って肩をすくめた。

「それはそうと、ヘビは要りませんか？」ソーニャを興味深そうに眺めながら聞いた。「一月に爬虫類・両生類館を閉鎖するので……」

「いえ、結構です。人事課はどっちですか」

「中央の入り口から左に行ったところ、トイレの後ろ側です」

ソーニャに出口で待っているよう言い聞かせて人事課に行き、ピドパールィさんの住所を教えてほしいと頼みこんだ。住所を書きとめた紙を二重にたたんで財布にしまい、ソーニャの手を引いて地下鉄の駅に向かった。

26

翌朝、編集長のところに行くことにした。第一に、書きあげた原稿をもうだいぶ前から届けたいと思っていたからだが、第二には、懺悔したいというほどではないにしろ、ヤコルニツキーの身に何がどうして起こったのか、編集長に聞いてもらいたかった。

「一人で留守番できる？」朝食の後ソーニャに聞いた。

「うん、パパがいってた。だれがきてもドアあけちゃダメ。でんわがなってもでちゃダメ。までにちかづいちゃダメ。でしょ？」

「そうだね」溜め息をついた。「でも今日は、窓には近づいていいよ」

「ほんと？」ソーニャは嬉しくなって、すぐにバルコニーの戸に走り寄り、鼻をガラスにくっつけた。

「ねえ、何が見える？」

「ふゆ！」

「すぐに戻るからね」と約束して家を出た。

編集長室にたどり着くまでに、三回も記者証を提示しなければならなかった。

「調子どう？」編集長が聞いた。

「まああかな……」ヴィクトルはあまり自信なげに答えた。「これ、新しい〈十字架〉持って来たけど……」

「どれどれ」編集長は手を伸ばして受けとり、「こっちはフョードルからだ」と言って分厚いファイルを渡してよこした。

「イーゴリ」覚悟を決めて切りだした。「あのね……。そもそも……。じつは、ヤコルニツキーが死んだのは俺のせいなんだ……」

「何言ってんだ！」編集長はにやりと笑った。「何かい、自分のこと、そんなにすごいと思ってるのか？」

途方にくれて編集長の顔を見る。

「心配しなくていい、何もかもわかってるから……」編集長の言い方は前より愛想がよかった。

「何もかもって？」

「いや、何でもかんでもってわけじゃないな。かなりの部分ってとこか。まあ、ヤコルニツキーはどっちみち、あの世行きだった……。だから心配無用！　もちろん、君は自分の仕事だけに専念してたほうがよかったけどな」

呆然となって相手の顔をまじまじと見つめたが、相手の言ったことにすっかり動揺させられ、真意をつかみそこなっていた。

「つまり、何も恐ろしいことはないって……」ようやくヴィクトルが言った。

「どこが恐ろしいんだ？　政府にコネのあるマフィアがひとつ減ったことか？　心配いらない。君はまったく何の関係もないし、あるとしても左の脇腹をかする程度だ。さあ、それよりコーヒーでも飲もう！」

編集長は電話で秘書にコーヒーを二つ言いつけた。それから考え深そうに口をもぐもぐ動かし、またじっとヴィクトルの顔を見て尋ねた。

「奥さんも恋人もいないのか」

「ああ、今はいない……」

「そりゃ、よくない」半分冗談めかして編集長は首を横に振った。「女ってものは、男の神経システムを強めてくれるぜ。今こそ神経を鍛えなくちゃ！……まあ、いい。冗談だよ」

秘書がコーヒーを持ってきた。

スプーン半杯分だけ砂糖を入れたが、それでもコーヒーは濃すぎて苦かった。コーヒーの苦みがふたたび先日のハリコフ出張を思い起こさせた。

「オデッサに行かなくちゃいけないかな」ハリコフに行く前に編集長と交わしたやり取りを思い

だして、ふと聞いてみた。

「いや、もういい。我々が地方都市に手を出すことを、だれかが非常に嫌がってる……。ま、キエフに限定したって仕事は充分ある。だから心配するな！　俺なんか、こないだ運転手を殺されたが、戦車みたいに平然としてるだろ！　生きるか死ぬかなんて、あれこれ心配するようなもんじゃない。俺を信じてろ」

ヴィクトルは驚いた目で相手を見た。当の相手は、ディレクターズ・チェアに腰かけ、贅沢なスーツに身を包んで、フランスのネクタイ、重そうな金のネクタイピンをしている。

「これで命を大事にしてないとでもいうのか」と心の中で疑った。

「新年の祝いをする前に、君と一杯やらなくちゃな。いいだろ？」編集長は聞いた。

「喜んで」

「よし」編集長は椅子から立ちあがった。「誘うから、そのつもりでいてくれ！」

27

ステパン・ピドパールィの住まいは、地下鉄のスヴャトシノ駅の近くで、スターリン様式の灰色の建物の一階だった。ヴィクトルは、目的のアパートの前でしばらく足踏みしていたが、意を決してベルを鳴らした。

長いこと覗き穴からこちらをじろじろ見ている気配があり、やがてとぎれとぎれに老人の声が聞こえた。「だれに用だね？」

「ピドパールィさんに話があって」

「そちらさんは？」

「ここの住所は動物園で教えてもらったんです……。ペンギンのことで来ました……」

ここにやって来た目的をそんなふうに説明したことをひどく馬鹿げていると思ったのだが、ドアが開いて、男が中に入るよう手振りで示した。髭が伸び放題、青いウールのスポーツウェアを着ており、一見さほど年とっているようには見えない。

広い客間に通された。真ん中に古めかしい丸テーブルと、椅子が何脚かある。

「お座んなさい！」部屋の主人は客のほうを見ないで言った。

「ペンギンに興味があるんですか」今度はヴィクトルの顔を見ながらそう言い、同時に、薄汚いテーブルクロスの上から吸殻を手探りで取り除いた。

吸殻を持った手をテーブルの下におろし、もう一度テーブルクロスの上に戻したが、そのときにはもう吸殻はなかった。

「すみません」ヴィクトルは切りだした。「ひょっとして、ペンギンに関する本か何かお持ちじゃないかと思いまして……」

「本？」ピドパールィはがっかりしたように問い返した。「なんで本なんです？　まだ出版してないけど私の書いたものならあります……。二〇年以上もペンギンのことを研究してますからね……」

「動物学者でいらっしゃるんですか」なるべく丁重な声音で尋ねた。

「というよりはペンギン学者だけれど、もちろん、正式の学術目録にはそういった専門領域はたぶんないでしょう……」ピドパールィは声の調子を和らげた。「まあ、それはともかく、どうしてペンギンに興味があるんですか」

「うちでペンギンを一羽飼ってまして……。でもペンギンのことを何も知らないんです……。で、何か間違ったことをしてるんじゃないかとふと不安になって……」

「家で？　そりゃすごい！　そのペンギン、どうしてお宅に？」

「一年前に動物園でもらい受けました……。動物園が小動物を一般に譲り分けたことがあったでしょう……」

ピドパールィは眉をひそめて聞いた。

「どんな外見のやつですか」

「皇帝ペンギンだと思います。ミーシャっていって、大きくて、このテーブルくらいだな……」

「ミーシャ！」ピドパールィは唇を引きしめ、ごわごわした髭をちょっと掻いた。「うちの動物園ですね？」

「そうです！」

「こりゃ、なんと、驚いた！　なんでまた、よりによって病気のペンギンを引き取ったんです？　あそこには七羽いたはずだが。アデルでしょう、ザイチクでしょう、やつらだったら、もっと若くて元気だったのに……」

「え、ミーシャが病気って、どういうことですか」

「ミーシャは憂鬱症で、心臓も弱い。生まれながらの障害だと思いますよ……。そうでしたか、ミーシャはどこに行ったんだろうと思ってましたが……」ピドパールィはそう言って溜め息をついた。

「何をしてやればいいでしょうか。治すことはできますか」

「まさか!」ピドパールィは笑いだした。「最近じゃ、人間の病気だって治せないっていうのに、ペンギンの治療だなんて! いいですか、ここの気候はね、南極に棲むものにとっては体によくないんですよ。一番いいのは、もちろん、生まれたところ、つまり南極で暮らすこと。怒らんでくださいよ、戯言だと思われるかもしれないが、もし私がペンギンでこんな低い緯度にいるとしたら、首をくくったほうがましだって思うでしょうね! 想像もつかないでしょう、どれほど苦しいか。ペンギンは、途方もなく厳しい寒さから体を守るために脂肪を二重につけてるんだが、それればかりか、やはり体を守るために何百という血管を持ってる。その血管はずうっと働き続けてるんです。そういう動物がこの国に住む。夏は四〇度、冬は零下一〇度にまで下がることも珍しくないこの国に。ね? わかりますか、生体が燃焼する、内側から過熱してしまうんだ……。動物園にいるペンギンのほとんどに憂鬱症が見られます……。ペンギンに心理があるわけないっていう連中がいる! でも、私はそういうやつらに証明してやった! 今一度証明したっていいですよ! それに心臓! そんなに過熱したら、どんな心臓だって持ちゃしない……」

注意深く聞いていると、ピドパールィは話が進むにつれてますます興奮してきて、両手を振りまわし自分で自分に拍子をとりだした。ときどき声の調子をがらりと変えて反語の質問を発し、小さな間合いを置いて、息を吸ってはまたすぐに続けるのだった。ペンギンの人工孵化や生体の構造や交尾期の遊びの特徴について、今までにこれほど詳しく話を聞いたことは一度もない……。しまいには頭が痛くなりそうな予感がした。話好きなピドパールィをなんとかして止めなくては。

「あの、失礼ですが、原稿を拝借して読ませていただけませんか……」例の反語が終わるのを待って聞いた。「ペンギンに関する原稿ですが……」

「もちろん、いいですよ」ゆっくりピドパールィは言った。「ただし必ず返してください！」

ピドパールィは隣の書斎に行った。戸口から、書斎の様子が見て取れ、ピドパールィが大きな机の前で、身を屈めて箱の中を引っ掻き回しているのがわかる。しばらくしてようやく背筋を伸ばすと、戻ってきた。両手に分厚い紙挟みを抱えている。

「これです」紙挟みをテーブルの上にどさっと置いて言った。「言うまでもありませんが、全部が全部面白いわけじゃないと思います。でも、まあ、少しでもお役に立つものがあるといいですな！」

「私のほうも何かお役に立てることはありませんか」このペンギン学者にお返しをしたいと思うのだが、何をどうしていいのかわからなくて尋ねた。

「そうですな」ピドパールィは、信頼しきった感じの小さな声で言った。「原稿を返しに来るとき、ジャガイモを二キロほど持ってきてくださらんかね」

28

二週間が過ぎた。ソーニャはこの新しい住まいに慣れ、今ではもうパパのことを前ほど聞かなくなった。ヴィクトルは、かつてペンギンに慣れたようにソーニャにも慣れたが、ソーニャの父親はいったいどうしているのか、そもそも生きているのだろうかといぶかりながら、ちょくちょく思いだしていた。

外では冬が続いている。夕方、暗くなって人通りもまばらになるころ、ソーニャとペンギンのミーシャを連れて散歩に出ることがあった。鳩小屋が三つ立っている空き地を歩きまわる。足元で雪がさくさくいい、たまに野良犬がペンギンに駆け寄ってくることもあったけれど、吠えたてたりせず、ただ黙ってこの奇妙な動物の匂いをくんくん嗅ぐだけだった。ペンギンのほうは一度も犬たちにかまったことはなかった。たいていソーニャが走りよって立ちはだかり、両手を前に伸ばし頬を膨らませて脅しながら、犬たちを追い払った。犬たちがさっと離れていくと、ソーニャはご満悦だった。

ピドパールィの原稿はもう最後まで読み終えていた。わからないところはたくさんあったが、ともあれ役に立つ情報を見つけていた。原稿のなかでも一番大事なところは数ページ分、最寄りの書店でコピーしておく。近いうちに著者に返すつもりで、原稿をキッチンの目立つ場所に置いた。

仕事もはかどった。編集長から受けとったファイルをもとに、原稿を仕上げてある——一二の新しい〈十字架〉が窓際にあって、いつ出番が来てもいいよう待ちかまえている。この一二編には手こずった。というのも、これら未来の死者たちの書類には、編集長が線を引いた箇所があまりに多くて、とても全部を、自分の作りあげ練りあげたこのジャンルに押しこめることはできなかったからだ。仕方なくリズムを変えざるを得なかった。リズムを速め、線の引いてある箇所を短めの経歴として途中に差し挟むことにした。しかしこの挿入部分はどれもみな、本人の経歴というよりむしろ起訴状のような感じがするのだった。

新しい〈十字架〉を書きあげてから、初めてあることに気づいて考えこんだ。それは、これまでに書いた追悼文はどれも、うしろ暗い過去があるらしいとか実際にそうだという人ばかりで、例外はたった一人、しかも追悼文が前もって予定されていなかった一人だけだということだ。オペラ歌手ユリヤ・パルホメンコである。いや、すぐに疑問も湧きあがった。ユリヤにだって、同じ劇場の別の歌手の失踪に関わっていたらしいという仄めかしがあったじゃないか……。それに、故ヤコルニツキーとの不倫……。そうだ、清廉潔白で罪のない人間なんていやしない。そうでなきゃ、追悼文も書かれずに目立たずに死んでいくだけだ。この考えは説得力があるような気がした。「追悼文が書かれるにふさわしい人というのは、たいてい何らかのことを成しとげた人間だ」自分の考えを先に進めた。「そういう人たちは自分の目的のために闘うわけだから、闘っているうちに清廉、誠実ではいられなくなる。それに、今の世の中、闘うっていったら、物質的な理想を求めてに決まってる。無鉄砲な理想主義者は、階級ごと死滅したんだ。残ったのは、無鉄砲な現実主義者ばかり……」

何度か警官のセルゲイが電話してきて、先週の日曜日も、また一緒にドニエプル川へ氷上のピクニックとしゃれこんだ。ただし今度はソーニャも連れていった。三人はのんびり楽しめたし、ペンギンも広い氷穴で思う存分泳ぎまわった。ヴィクトルとセルゲイは、前と同じ綿入り毛布の上に寝転がって、コニャック入りコーヒーを飲んだ。ソーニャには、ペプシとお菓子を買っておいた。そして三人で、ペンギンのミーシャがものすごい勢いでぴょんと跳ねあがってくる氷の穴を見守った。ミーシャは、氷穴の上に五〇センチもの高さまで飛びあがり、おかしな格好で氷の上に着地して、それから毛布のほうに急いでやってくる。ソーニャがかいがいしく体をタオルで拭いてやると、ミーシャはまたしてもおかしな格好でぴょこぴょこ氷穴に戻っていった。

このときは、ほとんどあたりが真っ暗になるまで長居してしまい、慌てて凍りついたドニエプルの灰青色の氷を渡り、下流にある修道院の庭先に止めておいた車「ザポロージェッツ」のところに戻った。

その後はまたいつもの一週間が始まったが、気苦労が増えたように感じていた。こうなったら、責任を持ってソーニャの面倒を見なければならない。でも、おかげで栄養のあるものを食べるようになった。ソーニャのためにドイツのフルーツ・ヨーグルトや新鮮な果物を買い、ミーシャのためには冷凍エビを求めるようになったので、ミーシャはほくほくしているようだ。

「なんでここ、テレビないの？」あるときソーニャが聞いた。「ねえ、アニメ、きらい？」

「うん、嫌いだな……」ヴィクトルは答えた。

「わたし、すき！」少女は大真面目に言った。

新年が近づいていた。店のウィンドーには、玩具で飾りつけられたツリーがお目見えするようになった。クレシチャーチク大通りには、何本も大きな枝を挿したウクライナ一大きなツリーが作りつけられている。道行く人々は表情が和《なご》やかになったように見え、新聞には発砲事件や爆発の記事がほとんどなくなり、まるで職業に関係なくキエフに住む人はだれもかれもがみんな長い休みに入ったみたいだ。

ソーニャのために、新年のプレゼントとしてバービー人形を買ってあったが、とりあえずタンスの中に隠してある。台座のついている小さなツリーを二人で一緒に選んで家に運び、吊り棚の奥に見つけた古い玩具やリボンで飾りつけをした。

「サンタクロースって、ほんとにいると思う？」いつかソーニャに聞いたことがあった。

「いるとおもう」ソーニャは驚いたように言った。「いないとおもうの？」

「いると思うよ……」

「あたらしいとしになったら、サンタさん、きっとプレゼントもってきてくれるよ！」ソーニャは自信ありげだった。

29

ソーニャに留守番をさせて出かけ、食料品店で食べ物を買い、ピドパールィのうちに行った。また青いスポーツウェアに裸足という格好だった。

「これ全部、くださるんですか」ペンギン学者は、おみやげに持っていった食料をあれこれ見定めて驚き、嬉しそうに言った。「どうしてそんな……。いいのに」

ペンギン学者の書いた原稿の入っている紙挟みは、買い物袋の底、買った食べ物の下に入れてあった。

「ありがとうございました！」老人に原稿を返した。

「役に立ちましたかね」

「はい。とても」

「おかけなさい、さあさあ……。お茶でも淹れましょう」ピドパールィはまめまめしく動きまわった。

緑茶だった。湯呑みで茶を出してくれ、その横に、どこから取りだしたのか、砕いた砂糖の入った箱を置いた。こんな砂糖は古い映画でしか見たことがない。

ヴィクトルは砂糖をひとかけら取ると、がりっと齧って緑茶を飲みはじめた。それからまた砂糖の箱を横目で見た。

「砂糖は悪くならないですよ」客が見ているものに気づいて、ピドパールィは言った。「私なんか、いつだったかずっと昔に三角錐の形をした砂糖の塊を三つ買って、それをいまだに齧ってますからね……。昔は今より何にでも形があったし、味もあったもんだ！『首都《ストリーチヌイ》』っていう肉入りパンがあったの、覚えてますか」

ヴィクトルは首を横に振った。

「ものが豊富にあった時期をご存じないんですな」老人の声には、残念そうな響きがあった。

「どの世紀にも、五年くらいは豊かな時期があるもので、その後は何もかもだめになるんだ……。

こんど豊かな五年がやってくるまで、あなたは生きてないでしょうし、私なんかなおさらだ……。でもまだ私は前の五年を知ってるからいいが……。ペンギンの調子はどうです？」

「大丈夫です。ペンギンの心理について話されたこと、覚えていらっしゃいますよね」

「もちろんです……」

「ペンギンっていうのは、そもそも何かを理解できるものなんですか」

「もちろん、ペンギンは人間や他の動物たちの感情がわかります。それだけでなく、執念深くて、いつまでも恨みを忘れない。いや、いいこともちゃんと覚えてますよ。でもねえ、ペンギンの心理は、たとえば犬や猫なんかに比べるとよっぽど複雑なんです。犬や猫より利口だし、なかなかなつかない。自分の感情や愛情を隠すことができるんです」

ヴィクトルはお茶を飲みおえてから、自分の電話番号を紙に書きつけた。

「何かあったら、電話してください！」そう言って紙を渡した。

「どうも、どうも。そちらも電話して、また遊びに来て下さい……」

老人は立ちあがった。また老人が裸足でいることが気になったので聞いてみた。

「風邪、ひきませんか」

「いや」ピドパールィは言い切った。「ヨガをやってますからね……。写真入りの本を持ってますけど、そこに写ってる人はみんな裸足ですよ……」

「インドには冬がないし、履くものが高いっていうだけじゃないかな」ヴィクトルはドアを開けた。「お邪魔しました！」

「良い年を！」ピドパールィが帰っていく客の背中に向かって言った。

30

新年を迎える数日前、朝早く目が覚めたヴィクトルは、客間のツリーの下に、色鮮やかな包装紙にくるまれた大きな包みが三つ置いてあるのに気がついた。ソーニャのほうを見ると、まだ眠っている。

「まさかソーニャが？」と考えた。「それともサンタクロース？……」

顔を洗ってキッチンに行くと、テーブルの上に封筒がある。

「何だろう」封筒を見ながら思った。「夢を見れば、なんだか神経のすり減るような夢だし、目が覚めれば覚めたで、これだ……」

その夢が、暗い夜中に他人のアパートでだれかから身を隠している夢だったことを思いだした。静まりかえった中で身を潜め、固唾をのんで耳を澄ましているのだが、ときどき、かすかに聞きとれるかとれないかというほどの足音やドアの軋む音が聞こえるだけという夢だった。

封筒は糊づけされている。ハサミで端を切った。

目に飛びこんできたのは、読みやすく、ほとんど印刷してあるような字体だった。

もうすぐ新年だね、おめでとう！　ソーニャのことは感謝している！　二人へのプレゼントをツリーの下に置く。同名のペット君には冷凍庫にプレゼントを入れておく。新しい年が心

の平穏をもたらしますように。会えなくて残念だ……。それじゃまた。ミーシャ

「いったい、だれがここに入ってきたんだ」驚いて、その辺にまだだれかいるんじゃないかというように見回しながら、自分で自分に問いかけた。

玄関に行ってドアを調べたが、いつもの通り、鍵は二回まわした状態で中からかかっている。肩をすくめ、キッチンに戻った。自分の身に起きたことが何なのか、はっきりしているのに説明できないため、にっちもさっちもいかなくなっていた。ドアに鍵がかかっているからといって命が安全なわけではなく、危険が迫った場合は助からないということがはっきりしたわけだ。怯えたというのではなかったが、ただ面食らっていた。

窓の外では、綿雪が風を受けてふわふわ舞っている。

31

ソーニャが目を覚まし、ツリーの下に置いてあるプレゼントを見て喜んだ。

「みて！」ソーニャは言った。「やっぱりサンタさん、いたんだ！　もしかして、もいちど、くるんじゃない?!」

ヴィクトルは苦笑いして頷いた。

朝食の後、ソーニャはもうプレゼントを開けたがったが、それを押しとどめた。

「ぼくにもプレゼントがあるんだよ」ソーニャの前にしゃがんで言った。「でも、今日はまだ一二月二九日でしょ！　あと二日したらね！」

ソーニャはしぶしぶ言うことを聞いて我慢することにした。

寝室でソーニャがペンギンを相手に何かお伽噺を聞かせてやっている間に、コーヒーを淹れ、茶碗を手にテーブルの前に座って、窓のほうに顔を向けた。

自分の生活にいろいろ奇妙なことをもたらした一年が終わろうとしている。終わり方もどことなく奇妙だ。頭の中で、感情と思考がごちゃ混ぜになってしまう。前は孤独だったのに、今では半ば孤独で半ば他人と頼りあっているような、どことなく中途半端な状態だ。日々だれたようなエネルギーが流れていたが、その波のようなエネルギーにまかせて奇妙な島にたどりついたと思ったら、やらなければならないことが出てきて、それをこなしていると金が入ってくるようになった。それでいて、まわりの出来事からも、外の生活からも距離をとり、何が起こっているのか理解しようともしてこなかった。ぎりぎり最後まで、つまりソーニャが現れるまで、理解しようとしなかった。身のまわりの出来事を理解しようと思えば理解できる機会はあったのに逸してしまったようで、今となってはもう、説明できないことのほうが多く、危険を感じるほどになっている。俺の世界は、俺自身とペンギンのミーシャとソーニャで成りたっているが、この小さな世界はあまりに脆くて、何かあっても、とてもじゃないが守りきれないように思う。しかも、それは武器を持っていないからでも、カラテの技を知らないからでもない。ぜんぜんそうじゃない。ただ俺たちの世界自体があまりに壊れやすいせいなんだ。本物の愛情もなければ、ひとつにまとまろうという意志もないし、女性もいない。ソーニャは身内でもなく一時的に預かってるだけの女の子だし、ペンギンはあろうことか、病気で憂鬱症ときてる。しかもペンギンのやつ、冷凍魚をもらっても、お義理にも、犬みたいに尻尾を振って感謝の気持ちをあらわしたりしない……。

電話が鳴ったので、考えが途切れた。客間に戻って受話器を取ると、編集長からだった。

「今から三〇分ほどでそっちに行ってもいいか？」

「オーケイ」

寝室を覗くと、ソーニャとペンギンが立ったまま互いに見つめあっている。

「いったこと、わかったでしょ？」少女が問いただすような声で、ペンギンに聞いている。

「ほとんど同じくらいの背丈なんだ！」と今初めて気づいた。

「えっと……」ソーニャがペンギンに言っている。「あとで、ちがういろのあたらしいおようふく、つくったげるからね……」

ヴィクトルは微笑み、そっと後戻りした。編集長がやってきたのは一時間後だった。ロングコートについた雪を長いこと払ってから、ようやく中に入ってきた。

「新年を祝おう！」紙袋を床におろしながら編集長が言った。

二人はキッチンに行った。編集長は紙袋の中からシャンペン、レモン、缶詰二個、小さな包みをいくつか取りだした。

「さあ、ナイフとまな板を出して！」編集長が言いつけた。

二人でソーセージやチーズ、フランスパンを切った。それからヴィクトルがグラスを二個出した。

「よお、猫でも飼ってんの」レンジのそばの小さな椅子に魚の頭の入っている鉢があるのに気がついて、編集長が聞いた。

「いや、ペンギンなんだ」

「冗談ばっかり！」編集長は薄笑いした。

「いや、冗談じゃない！　こっちだ、見せるよ！」

編集長を寝室に連れていく。

「この子は？」少女を見て編集長が聞いた。「結婚してなかったんじゃなかったっけ」

「このこはソーニャ！」知らないおじさんをじっと見ていた少女が言った。「それから、このこはミーシャ」少女はペンギンを指した。

「知りあいの娘なんだ」ソーニャに聞かれないよう小さな声で言った。

編集長は頷いた。

「知らなくて残念だった」キッチンに戻ってから編集長が言った。「うちの坊主も連れてくればよかった……。ペンギンなんて本でしか見たことない……」

「今度、連れてくればいいさ！」

「今度？」編集長は考えこんだ様子で繰り返した。「もちろん、今度……。息子は妻とイタリアに住んで一年になる……。あっちのほうが落ちついて暮らせるんでね」

編集長は、天井を向いてシャンペンボトルの頭についているものを剝き、ぽんと飛び出さないよう栓を抑えて抜いて、それぞれのグラスに注いだ。

「早めだが、おめでとう！」

「おめでとう！」ヴィクトルもグラスを上げた。

「元旦はどこで迎えるの？」シャンペンを一口飲んでから編集長が聞いた。

「うちにいる……」

編集長は頷いた。サラミを一切れフォークに刺して、またこちらを見たが、今度は心配そうな面持ちをしている。

「なあ、正月どころじゃないっていう知らせで悪いんだが……。でも仕方ない……」

ヴィクトルは身を硬くして編集長の顔を見た。

「君のこと、だれかが探してるらしい。編集部の何人かが〈十字架〉の作者を教えろっていう問いあわせを受けた。私とフョードル以外だれも知らなくてよかったよ……」

「なんで探してるんだろう」飲み終えてないシャンペングラスをテーブルに置いて聞いた。

「つまりだね」編集長は言葉を探して口ごもっている。「君はわが社の与えた課題をじつに見事にこなしてくれた……。私が書類に線を引いたところをすべて追悼記事に入れてくれたことを言ってるんだ……。それで実際、どの追悼文にも、故人がどんな罪を犯したかということの他に、ヒントが含まれることになった。そいつが死ぬことで得をする連中がいて、どこへ行けばそいつらを見つけられるかっていうヒントだな……。おそらくここでゲームが行われていることを、だれかが嗅ぎつけて……角突きあわせたってところだろう……。でも、そのかわり我々は結構いろいろなことができたわけだし……。それにまだ多くのことができるはずだ。ただ戦術を変えなくちゃいかんな」

「我々っていうのは新聞社？」ヴィクトルは呆然として聞きながらも、前に「角突きあわせる」という言い回しをだれから聞いたのだったか思い出そうとしていた。

「必ずしもそれだけじゃない……」編集長は穏やかに答えた。「新聞社というよりはむしろ、ほんのちょっと国をよくしようと思ってる数人の人間ってとこかな……。心配するな、君を探してる連中は、とっくにわが国の公安部隊に追われてるはずだ。しかし、我々の味方がそいつらをタイミングよく見つけだしてくれるまで、しばらく身を隠していないといけない……」

「いつ隠れたらいいんだ？」途方にくれて聞いた。

「早ければ早いほどいい」編集長は落ちついている。

ヴィクトルはうつむいた。

「怖がらなくていい。恐れるほうが危険だ。それより、どこに隠れるか考えるんだ……。それからだね……。君の行き先を私は知りたくない。そっちからたまに電話を入れてくれ！　いいね」

無意識のうちに頷いていた。

「さあ、今度は、私のほうもうまくいくよう乾杯しよう！」編集長はまたグラスに酒を満たした。

「こっちがうまくいけば、そっちも破滅することはない。大丈夫！」

ヴィクトルは心ならずもグラスを口に持っていった。

「飲め飲め！」編集長が急きたてる。「運命からは逃れられない！　シャンペンがあるうちは、飲もうや！」

ヴィクトルはごくりと酒を飲み、すぐさま鼻のあたりにくすぐったいような気泡を感じた。あやうく咳きこむところだった。

「君のことを買ってなかったら、今日ここへは来なかった！」帰りしな、編集長はそう言いながらダークグリーンのロングコートを着た。「一週間したら電話してくれ！　当面、仕事はないから、人目につかないところを見つけて、じっとしてるんだ！……」

ドアがばたんと閉まった。ドアのむこうで編集長の足音が聞こえなくなると、ヴィクトルは静寂の中に沈んだ。その不気味なほどの静寂の中で物思いにふけったが、シャンペンを飲んだせいで考えはうまくまとまらない。閉まった玄関ドアの前に立ちつくして、〈ペンギンじゃないミーシャ〉のプレゼントと消息をもたらした真夜中のサンタクロースの謎を、もう一度、解こうとした。

「ヴィクトルおじさん！」客間からソーニャが呼んでいる。「ヴィクトルおじさん！　ペンギンがつついた！」

はっと我にかえり、急いで客間に行く。

「どうしたの？」床に倒れているソーニャを上から見おろして聞いた。

ソーニャは、ばつの悪そうな顔をしながらもにっこりした。

「なんでもない……」

ペンギンはヴィクトルと並んで立って、少女を見ている。

「おじさんのプレゼント、ちょっとみたかったの。そしたら、つついたの……」ソーニャは、とうとう認めた。「わたしのをみようとしたんじゃないのに……。おじさんのをちょっとみたかっただけなの……」

「さあ起きて！」ソーニャに手を差しだした。

起きあがって尋ねてくる。

「おそとに、あそびにいってもいい？」

「だめ」厳しい声で言った。

「ほんのちょっと、ちょっとだけ……」

「行かせてやろうか」ヴィクトルは考えた。「まだ早いし、アパートのまわりには子供たちがたくさんいるし……」

「よし、じゃ、ちょっとだけ。遠くに行っちゃだめだよ！」

毛皮コートを着せ、マフラーを目のあたりまで巻きつけて遊びに行かせ、自分はキッチンのテーブルで考えこんだ。でも、今さら何を考えればいいんだろう。毎日、思いがけないことの連続だが、お世辞にも「愉快」とは言えなかった。

32

ふいに恐怖の発作に襲われた。まだキッチンにいる――シャンペンは全部飲んでしまい、ソーセージも平らげた。でも軽く酔っただけなので、もうすっかり醒め、頭にも足にも酔いは残っていない。

窓の外を覗いた――雪はもう本降りではなかったので、見通しがよく、中庭で子供たちが数人、雪の城を作っているのが見える。

腰掛けにのって、開いている通風用の小窓から頭を出して叫んだ。「ソーニャ！ 早くうちに戻っておいで!」

子供たちは、城を作る手を休め、上を見あげたが、だれもその場から動こうとしない。目を凝らしたが、そこにはソーニャの姿はなかった。急いでなめし革のコートをひっかけ、毛皮帽をかぶって家を走りでた。外に出てまわりを見回し、少し離れたところに別の子供が数人いるのに気づいて、そちらに走っていったが、ソーニャはそこにもいない。

うしろでエンジンのかかる音が聞こえ、振りむくと、建物のむこう側から走り去る古いメルセデスが目に入った。何かに突き動かされるようにして、走っていく車のほうに飛びだした。やっとのことでバランスを保ちながら駆け、街道に合流する手前のカーブで車に追いついたが、そこで足がバランスを崩し、両手を前にして転んで、車のトランクにどしんとぶつかった。中を見ると、驚いてこちらを向いた運転手と目が合う。中には運転手の他にだれも乗っていなかった。立ちあがり、来た道を歩いて戻った。

「馬鹿だった」と内心思った。「編集長があんなふうに言った直後だっていうのに、あの子を外に出して、馬鹿だった……」

階段を上がっていくと、ソーニャがドアに寄りかかっている。

「どこにいたんだ」思わず声を荒らげた。

「アーニャんとこ。一かいの」ソーニャは、申し訳なさそうな表情で答えた。「アーニャがおにんぎょう、みせてくれたの」

最初は厳しく懲らしめてやろうかと思ったが、だんだん気持ちが落ちついてきた。

「おなかすいた?」

「ミーシャ、もうたべた?」

「まだだよ」

「じゃ、みんなでいっしょにたべられるね!」ソーニャは嬉しそうに言った。

33

昼食のあと、セルゲイに電話して、すぐに来てほしいと頼んだ。セルゲイがやってくると、ソーニャとペンギンを客間に置いて、二人でキッチンに引きこもった。

初めは何か作り話を考えて吹き込もうと思っていたが、結局、そんなことは、まったくつまらないことだという気がしてきた。助けてもらいたいと思っている相手を騙すなんてよくない。でも、どのみち筋の通った話にはならなかった。それでも、どうやら問題のありかをすぐにわかってくれたようだ。

「別荘《ダーチャ》があるよ」セルゲイは言った。「内務省の宅地だけど、公衆電話もあるし、家の中には暖炉やテレビもある。貯蔵庫には食料もそろってる……。あそこなら、だれにも邪魔されずに新年を祝える……」

「でも、君はどこで年を越すつもりだったの?」慎重に聞いた。

セルゲイは肩をすくめた。

「別に予定はない。あんまり人とつきあわないほうなんだ」そう言って、微笑んだ。

「お母さんは？」

「正月なんて大嫌いっていう人。ともかく祝日が嫌いで……。いつ出かける？」

「早ければ早いほどいいんだ！　今日、行ける？」

セルゲイは外を見やった――もう暗くなっている。

「いいよ、でもその前にちょっと家に寄らないと。今、鍵持ってないんだ」そう言って立ちあがった。「一時間したら戻るから、荷物、準備しといて」

友達が出ていったあとドアを閉め、ヴィクトルは客間に行った。

「ソーニャ」少女の前にしゃがんで言った。「これから遊びに行こう」

「いつかえる？」

「何日かしたら」

「サンタさんがまたきて、わたしたちがいなかったら、どうなる？……」

「サンタさん、鍵持ってるから、ツリーの下に置いてってくれるよ……」

「そこにもツリーある？」

「ない」首を横に振った。

「じゃ、いかない！」ソーニャはきっぱり言った。

ヴィクトルは深々と溜め息をついた。

「あのね」われ知らず声がもう厳しくなっている。「パパが帰ってきたら、言うことを聞きませんでしたって、言いつけるよ！」

「わたしもいいつけるもん！　ごほんもよんでくれない、アイスクリームもかってくれない！

……」

ヴィクトルは口をつぐんだ。ソーニャが文句を言うのももっともだという気がする。

「わかった」しばらくしてから口を開いた。「ソーニャの言うとおりだね。だけど、遊びに来てくれるのを、むこうで待ってる人がいるんだ……。ここのツリーを持っていこうか……」

「ミーシャもいく？」

「もちろん」

「じゃいいよ」

二人はツリーから飾りや玩具を取りはずして、紙に包んだ。

「プレゼントももってく！」ソーニャの言うことにおとなしく従って、プレゼントをバッグにしまった。

「まって！」ふいにソーニャが押しとどめた。「サンタさんがきてツリーがなかったら、プレゼント、どこおくの？」

その場で動けなくなってしまった。少女が納得しそうな答えは何も思い浮かばなかったし、だいたい、かなり疲れを感じていた。

「かべにツリーのえ、かいとけば、サンタさん、わかるかな」ソーニャは声に出して考えていた。「おじさん、みどりのえのぐ、もってる？」

「持ってない。ねえ、それより、テーブルの上にプレゼントを置いてってくださいってメモをサンタさんに書いて、残していくことにしようよ」

ソーニャは考えこんだ。

「テーブルのしたがいい！」ようやくソーニャが言った。

「どうして下がいいの？」

「すぐにはみえないように……」

というわけで話は決まった。ヴィクトルがメモを書いた後、ソーニャは声に出してたどたどしく読みあげ、こっくり頷いて、メモを返した。

下で自動車のクラクションが鳴った。外を覗くと、冬の日の薄暗い夕暮れの中に、お馴染みの「ザポロージェツ」の姿が浮かびあがった。

まずは、物干しロープで結わえつけたツリーと、玩具やプレゼントの入ったバッグと、冷蔵庫や冷凍庫から取りだした食べ物の入っているバッグを下に運び、それから重たいペンギンを抱えて、ソーニャと下におりた。

「ついでだから、毛布を二枚余分に持ってきた」車の中でセルゲイが言った。「部屋が暖まるまでかなり寒いからね……」

ペンギンとソーニャがうしろの座席に、ヴィクトルが前に乗る。車が動き出すと、その音にびっくりしたのか、ペンギンはソーニャのほうにすり寄っていった。バックミラーを見たときには、ソーニャとペンギンはほとんど互いに互いの体を寄せあっていた。セルゲイを軽く肘でつついて、うしろを見るよう身振りで伝えると、後部座席のほほえましい牧歌的な光景がよく見えるようにバックミラーを調節した。二人は目を見交わした。セルゲイは疲れたような笑みを浮かべ、エンジンペダルを踏みこんだ。

34

別荘地への乗り入れ口に小屋が建っている。軍の迷彩服を着た警備の男が二人そこから出てきて、「ザポロージェツ」のまわりをぐるっと回り、注意深く中を覗いた。セルゲイが窓を開けて言った。

「七号棟」

「行っていい！」警備の一人が言った。

暗がりの中、車は、レンガ造りで切妻屋根の小さな家のそばで止まった。まずセルゲイが車をおりた。ヴィクトルがおりる前に振りかえると、ソーニャは眠っていた。

「ちょっと待ってて。罠をはずすから」セルゲイが言った。

「罠って？」

「泥棒対策」

セルゲイは、戸口に屈みこんで何かを動かしている——板の軋む音が聞こえる。

「これでよし、と」こちらに手を振った。「もう中に入っていいよ」

ベランダの戸を開けて電気をつけると、光がこぼれて、家の前の雪の上や車の上で黄色い水溜りを作っているように見える。ソーニャが起きて目をこすり、道中ずっと右手で抱いていたペンギンのほうを向いた。ペンギンは落ちついたものだ。少女が目を覚ましたのを感じとったらしくそちらを向いたので、少女とペンギンは目を見交わしている。

まもなく全員、冷えきった部屋の凍りついた暖炉の前に座った。周囲に光を放っているのは天井から吊るされたランプだけで、それは実際に居心地のいい雰囲気を作りだしているというよりは、居心地のいいような錯覚をもたらしていた。

セルゲイが薪を運び入れて暖炉に積み重ねて置き、火をつけた新聞紙を、重ねた薪の奥のほうに差し入れた。

燃えだして炎をあげている薪から、少しずつ暖かい空気が流れてくる。

はじめは部屋の遠くの隅に身を潜めていたペンギンが、急に活気づいて暖炉に近づいてきた。

「ヴィクトルおじさん、ツリー、いつかざる？」ソーニャがあくびをしながら聞いた。

「明日の朝ね」

小さな部屋には、暖炉の反対側に、ソファと肘掛け椅子があり、左の壁際にはベッドがあった。暖炉に近いソファにソーニャを寝かせ毛布を二枚かけてやると、まもなく寝入ってしまった。ヴィクトルとセルゲイとペンギンのミーシャは、赤々と燃える暖炉のそばで起きていた。セルゲイが薪をくべる。あたりは静かで、ごくたまに新鮮な薪に火がついてシュルシュルと水分を飛ばす音が聞こえるだけだ。

ヴィクトルがソファの端に座り、セルゲイは肘掛け椅子に座り、ペンギンは立っている――生まれながらにして座るという習性がないのだろう。

「明日、仕事なんだ」セルゲイが言った。「終わったら、シャンペンと肉を買ってここに戻る」

ヴィクトルは頷いた。

「ここはとても静かだ」ヴィクトルが夢見るように言った。「こんなに静かな中でものが書けたらなあ……」

「だれも邪魔するやつはいないよ」好意的にそう言ってくれた。

「邪魔してるのは生活だな」ヴィクトルはしばらく口をつぐんだ後で、そう言った。

「生活を厄介なものにしてるのは君自身じゃないのか……。ベランダに出てタバコでも吸おうか」

タバコは吸わなかったが、それでもセルゲイと一緒に出た。少し温まった部屋の空気と比べると、ベランダは冷蔵庫の中のようだったが、その寒さがかえって気持ちよかった。

「ねえ」低い天井のほうへ煙を一筋吐きだしてから、セルゲイが切りだした。「そんな大変な目にあってるっていうのに、どうしてあの子を連れてきたりしたの」

「あの子の父親も、どうやら同じ目にあってるらしいんだ……。今どこにいるのかもわからない……。どうしようがある？」

セルゲイは肩をすくめた。

「あれ、ここにいるの、俺たちだけじゃないね！」しばらくしてから、セルゲイがベランダの窓を覗いて言った。

暗闇の中に、明かりの灯っている窓が二つ見える。

「果実酒でもどう？」セルゲイが突然聞いた。

「いいね！」二つ返事だ。

二人は、寒くて狭いキッチンに行った。そこには、電気コンロの載ったキャビネットと小さなテーブルと椅子が二脚あるだけだ。セルゲイは正方形になっている床板の一部を持ちあげ、キャビネットの中から取りだした懐中電灯をヴィクトルの手に押しつけた。

「下を照らしてて！」セルゲイにそう言いつかり、おとなしく地下貯蔵庫に光を向けた。

セルゲイは、その明かりを頼りに下におりていった。そこからシャンペンのボトルを二本取ってきてよこしたが、栓は赤ん坊のゴム製おしゃぶりだった。それから自分自身が這いあがってきた。

二人はキッチンの椅子に座って、カットグラスにサクランボ酒を注いだ。静寂に耳を傾ける。慌てて飲むこともあるまい。セルゲイは部屋に行き、暖炉に薪を足して、戻ってきた。

「ソーニャは寝てる？」ヴィクトルが聞いた。

「寝てる」

「ペンギンは？」

「じっと暖炉を見てる」軽く笑った。

「さて、どう、新年を祝って乾杯しようか？」セルゲイが提案した。

ヴィクトルは溜め息をつき、グラスを手に取った。グラスまで冷たい。

「あのさ」セルゲイが続けた。「肉屋の知りあいがいて、いつもこう言ってた。『これまでより悪くならないよう祈って飲もう。もう一番いいことはあったんだから』って」

35

翌朝、セルゲイは町に戻っていった。ヴィクトルは、別荘地全域を通っている「地上」水道で、バケツ一杯分の水を汲んできた。電気コンロにヤカンをかけてから、部屋を覗いた。夜中のうちに暖炉の火は消えていたが、相変わらず暖かくて、炎から香る松のような匂いが部屋全体にたちこめている。ソーニャが夢を見ながら微笑んでいる。ペンギンは立ったまま、暖炉の中にたまった黒い灰の山をぼんやり見つめている。

自分の脚をぴしゃりと叩いてミーシャの気を引いた。ペンギンが振りむいて主人のほうを見たので戸口のほうに行ってドアを開け、ペンギンにわかるように、手振りをして囁いた。

「行こう、行こうよ！」

ペンギンは、火の消えた暖炉のほうをもう一度振りかえってから、ようやくペタペタ歩いてきた。

「腹、減ってるか？　もちろん、減ってるだろ！　外に行こう！」

バッグからカレイを二匹取ってきて、玄関の外に出た。戸口のステップにカレイをじかに置いた。

「さあ、召しあがれ！」

ミーシャは玄関の外に出ると、すぐ近くの光景を見回して、はしゃいでいるみたいに頭を振りはじめた。雪の上におり立ち、ぐるっと円を描いた。それから、木立のほうに行きかけたが、水道管にぶつかって戻ってきた。ミーシャのつけた足跡はひとつに合わさって、曲がったスキー板がシュプールをつけるように、白紙のような雪野原をいくつかの不正確な幾何学模様に分ける。やっと家の戸口に戻ってくると、横手にまわって、ステップをテーブルがわりにして魚を食べはじめた。

すっかり生き生きしてきたこの動物を観察しているのは、なかなか楽しかった。キッチンに行って湯を沸かす。もう一度部屋を覗いたが、ソーニャはまだ眠っているので、起こさないでおいた。

キッチンのテーブルでお茶を飲んだ。すぐそばの窓辺に、果実酒の入ったボトルが二本ある——一本は中身が半分に減っているが、もう一本のほうは手をつけてない。あたりが静まりかえっているので、心の中にはロマンティックな考えが浮かび、書かれなかった小説や過去にまた思いを馳せることになった。すると、ふいに、自分が外国にいるような、昨日までの生活とはなんの関係もない場所にいるような錯覚にとらわれた。ヴィクトルにとって外国とは、穏やかな場所、平穏な雪におおわれた「精神のスイス」を意味する。ところがここでは、人を不安に陥れる恐怖感があらゆるものに浸透している。ここでは、鳥たちまで、まるで望んでいないかのように、歌いもしなければ、叫びもしない。

ベランダでドアの軋む音がした。立ちあがってそちらを見ると、ペンギンと目が合った。ペンギンは主人を見ながら、おかしな具合に首を傾けている。ここが気に入ったのだろう。「ここなら食べ物も充分あるし、寒いからな」と考えた。友達がいい気分でいると、自分まで嬉しくなる。

ほどなくソーニャが目を覚ましたので、いつまでも静寂や自分の考えに浸っているわけにはいかなくなった。まずは朝食を食べさせ、それから一緒にツリーの飾りつけをしなければ。

ツリーを仕上げるのに一時間以上もかかった。とうとう、リボンや玩具をつけて装いを凝らした低めのツリーが、踏み荒らされた雪野原に立った。そばでペンギンが、一部始終をじっと眺めている。

ソーニャは家の戸口に戻って、そこからもう一度ツリーを見た。

「いい感じ？」

「とっても！」少女は感激の面持ちで叫んだ。

それから二人は、別荘地の小さな庭をしばらくぶらついてから家に戻り、ヴィクトルがまた暖炉に火をおこしている間に、鉛筆とノートを見つけたソーニャは肘掛け椅子に腰をおろして、ノートを膝に置いて何か絵を描きはじめた。

五時ちょっと前、あたりがすっかり暗くなり、天井から吊られたランプが暖かい部屋いっぱいにふたたび黄色い光を放つようになったころ、セルゲイが戻ってきた。ベランダに買い物袋を二つ運びこんでから、ツリーと戸口の間の空間にではなく、家の裏手に車を止めた。

「最新ニュース！」ヴィクトルの手に新聞の束を押しこんだ。「シャンペン二本と、風邪をひいたときのために辛子酒を一本持ってきた。足りる？」

「もちろん」頷いて、一紙を広げた。

記事の見出しを見て、一気に現実に引き戻された。「銀行家の死」「国会議員の暗殺未遂」。両方の記事にざっと目を通し、頭をふり絞って思いだそうとした。銀行家の名前にまったく聞き覚えがないところからすると、カード目録にこの銀行家の〈十字架〉はなかったということだ。議員の〈十字架〉はカード目録にあったが、議員は怪我をしただけで、死んだわけではない。頭の怪我ではあるが……。

「おいおい」セルゲイが言いだした。「新聞を持ってきたのは、渋い面《つら》をしてもらおうと思ってじゃないんだぜ！」

ヴィクトルは暖炉の前の床に、新聞を思いきりよく投げ置いた。

「焚きつけにちょうどいいよな！」

「そうだね！　読んで落ちつかないようなら、読まないほうがいい！」セルゲイが言った。「むこうで何してたの？」今度は、肘掛け椅子にすわっているソーニャに向かって聞いた。

「だんろのえ、かいてた」

「見せて！」

セルゲイは、ノートを手にとってじっと絵を見ていたが、とまどったような顔をしてまた少女のほうを向いて尋ねた。

「どうして暖炉の火、黒いの？」

「くろじゃない、はいいろ！」少女は言い直した。「だって、はいいろのエンピツしかなかったんだもん！……」

「探し方がいけないんだよ！　よおし、明日、一緒に探そう。もっと他の色鉛筆があるはずだ、姪っ子が持ってきたはずだから！」

ポテトを炒めて、みんなでたらふく夕食を食べてから、ソーニャを寝かせようとした。

「わたし、ねない」少女は先回りして言った。「だんろをみはってて、ひがきえそうになったら、よぶね!」

話は決まった。

ヴィクトルとセルゲイはキッチンのテーブルにつき、窓辺に置いてあった昨日のカットグラスを手にした。セルゲイがグラスに酒を注ぎ、空になったボトルを床に置いた。

「あと一日で今年も終わりだね」セルゲイが言った。「その後はまた同じことの繰り返し、ただ年が改まるっていうだけだ……」

二時ごろになっても、友人同士はまだキッチンにいた。キャビネットに載っている電気コンロをつけて一番強い火力にしていた——暖をとるためだ。二本目の果実酒ももう飲んでしまったが、どういうわけか自分たちは素面だと感じており、さっきからセルゲイは、貯蔵庫に行こう行こうと思いつつも、面倒くさくてなかなか腰をあげなかった。

すると突然、外で爆発音が響きわたった。窓ガラスががたがた鳴った。二人ともぎくっとして体を動かした。

「見に行こうか」ヴィクトルがためらいがちに聞いた。

セルゲイは立ちあがって、部屋を覗きにいった——ソーニャが、むにゃむにゃ寝言を言っている。暖炉では薪が燃えつきるところだ。

キッチンに戻り、ヴィクトルに頷き、二人で玄関の外に出た。ステップの上段でペンギンが動かずに立ちつくしている。ヴィクトルがペンギンのほうに屈みこんだ。

「眠ってるらしい……」囁き声で言った。

あたりは静まりかえっているので、人の話し声がはっきり聞こえてくる。何を言っているのかは聞きとれないが、声の調子が不安げだ。暗闇の中、姿の見えない人たちが歩いて雪を軋ませている音がする——並木道には、一〇〇メートルおきに街灯が円錐形に光を放っているが、ぽつんぽつんと街灯が立っていても、闇はかえって濃く見えるばかり。まるで、光に照らされた空間をぎゅっと取り巻くようにと、闇がだれかにそそのかされているみたいだ。

「行こう……」セルゲイが少し毅然として言った。

「でも、どっちに？」ヴィクトルはあちこち見回して聞いた。「どこだろう」

「どっか近くだよ……」

二人は、別荘地とそれ以外の土地の境界線にもなっている小道に出て、一〇〇メートルほど歩いて立ち止まり、耳を澄ました。

「あっちだ！」セルゲイが手で示した方向から、夜の静寂《しじま》を破って人の話し声が聞こえてくる。

声のするほうに近づいていくと、だれかが強力な光の懐中電灯を手にしており、その光がゆっくりと雪に覆われた地面を這いまわっている。

「地元のやつだな！……」しゃがれ声が響いた。

「あの声はワーニャ爺さんだ、別荘の守衛」セルゲイが囁いた。

二人はさらに寄っていって、挨拶を交わした。

「どうしたんだ、ワーニャ」セルゲイが聞いた。

「昔からある話よ」守衛は、小さな書類カバンに似た蓄電式懐中電灯の光を、雪の中に倒れている人の体に向けて言った。

目を凝らすと、倒れた体のまわりの雪が赤く染まり、体そのものは不完全だった——足がなく、肘から先も綿入り上着ごともげて、かたわらに転がっている。

そばに男が二人立っていた——一人は背が高く、スポーツウェアを着ており、もう一人はダウンジャケットを着て、少し背が低く、顎に髭が生えている。どちらも押し黙っている。

雪を蹴散らして走ってくる足音が聞こえる。迷彩服の男が息を切らして駆けつけ、近くで足を止めた。手にピストルを持っている。

「どうした?」あえぎながら迷彩服が聞いた。

「それがねえ」守衛が、懐中電灯の光をまた、うつ伏せの体に当てた。「地元のやつだ……。何か盗もうとして、地雷を踏んで爆死しちまったらしい……」

「なあんだ」迷彩服は間延びしたような言い方をして、ピストルをしまった。「盗みに入ろうとして死んだのか……」

急に暗闇の中から守衛のほうに、尻尾を振り振り犬が走ってきて、足元でぐるぐる回り、それから雪の中に横たわっている死体に走り寄って、くんくん匂いを嗅いだ。脇に離れ、地雷で吹き飛ばされた腕をくわえて、どこか暗闇のむこうへ持っていってしまった。

「待て、ドルジョーク!」守衛は嗄れ声で叫んだ。「待て、こら!……」

その嗄れ声がこだまして、守衛自身も自分の嗄れ声のこだまに面食らって、口をつぐんだように思えた。

「呼ぶか?」迷彩服が尋ねた。

「なんでだよ?」ダウンジャケットを着た男が言った。「俺たち、ここへ目撃証言しに来たんじゃないぜ。せっかくの休みを台無しにしないでほしいな！」

「そんじゃ、どうする？」だれにともなく、もう一度守衛がつぶやいた。

「雪で隠して、踏み固めておけば、そのうち休みあけに……だれか気づくだろう……」迷彩服が、少し考えてから言った。

ヴィクトルは、うしろから脚をつつかれるのを感じて、ぱっと一歩前に足を踏みだした。犬のドルジョークが、明日の朝食を安全な場所に隠して戻ってきたのだろうと思ったが、振りかえると、そこにいたのはペンギンだった。

「どうやってここに来たの？」しゃがんで言った。「眠ってるのかと思った……」

「何、飼ってんだ？」迷彩服が近寄ってきた。「ペンギンか？　こりゃすごい！　ペンギンだ！」

「最高！」スポーツウェアの男が薄笑いした。「最高だよ」

しばらくすると、みんな雪の中の死体のことなど忘れて、ペンギンのまわりを取り囲んでいた。

「こいつ、人になついてんの？」ダウンジャケットの髭面が聞いた。

「あんまり」ヴィクトルが答えた。

「名前は？」守衛が聞いた。

「ミーシャ」

「ああ！　ミーシャか、ミーシャや……」守衛は、嗄れ声で優しく呼んだ。

それから人間のほうを向いて言った。

「さあもういい、帰った、帰った！　俺が雪で隠しとくさ……。ま、酒でも一本もらえりゃな……」

「あるよ、あるって」髭面が約束した。「明日の朝来な、飲ませてやるから!」

ヴィクトルとセルゲイとペンギンは、「境界」の小道を戻った。

「ここは何かい、どの家にも地雷が仕掛けられてるの?」ヴィクトルが道々聞いた。

「いや、どの家もってわけじゃない。俺んとこは違う、もうちょっと人道的な罠だよ」

「どんな?」

「船のサイレン。鳴りだしたら、まわりに住んでる村人は一人残らず目を覚ますぜ!」

足元で雪がきゅっきゅっと鳴っている。頭上には、一面に星の張りついた、深く澄んだ空が広がっているが、月はどこにも見えない。そのせいで、いつもより夜が暗いように思えるのだろう。夜なのに月が出てないなんて。

「さあ着いた」玄関の前で足を止めたセルゲイは、自分のうしろから歩いてくるヴィクトルとペンギンのほうを向いた。「あれ! もうツリーを飾ったの!」驚いて言った。「来たとき、ぜんぜん気がつかなかった……。よくやったね!」

ベランダのドアが軋み、別荘地はふたたび静かになった。

部屋の中は暖かい。暖炉では炎に翻弄された灰が赤くなっている。ソーニャは夢を見ながら微笑んでいる。

まだ眠くなかったので、二人はまたキッチンに引きこもった。

36

翌朝、正月の準備に取りかかる。まずは、屋根裏にしまってある古いテレビを下におろしてきた。暖炉のある暖かい部屋に置き、電源を入れて調整した。幸い、この時間帯はアニメ番組の放送があったので、ソーニャはテレビの向かいの肘掛け椅子ですぐにおとなしくなった。

貯蔵庫から、キュウリやトマトやピーマンが仲良くピクルスになっている三リットル瓶を取ってきて、果実酒を新たに二本とジャガイモを二、三キロ出した。

「これでよし。次に肉の下ごしらえをして、正月の焚き火にくべる薪を用意しなくちゃ」手のひらを拭いながら、セルゲイが満足そうに言った。

一年最後の日は、とても時間がゆっくり流れた。往く年はもうどこへも急いでいないように思える。

肉を切って下味をつけたり、木を割って薪を作り、ツリーのそばにきれいに積みあげて小さな山にしたり、その他細々した用事を終えると、時計はまもなく昼の一二時を指そうとしていた。

中庭には日が差しているのに寒かった。玄関のあたりに、ペンギンがじっと動かずに立っている。ウソの群れが雪の上をぶらついているのを面白そうに眺めているのだ。

「一杯ずついこうか」セルゲイが提案した。キッチンのテーブルについてグラスに果実酒を注いだ。

「時間に乾杯！　もう少し早く過ぎますように！」自分のグラスを上げて、こちらのグラスに近づけた。

乾杯したのが効いたのか、時間はさっきより早く過ぎていくような気がする。昼食の後、ペンギンを除く全員が横になって休んだ。テレビを止めて「お昼寝の時間にしよう」と言いだしたら、ソーニャもいやとは言わなかったのだ。

目が覚めたときは、もう外は暗くなっていて、時計は五時半を指していた。

「よく寝た！」戸口に出て、セルゲイが言った。少し顔が腫れぼったい感じだったので、思いきり元気を出そうと、顔に雪を塗りつけた。そして、たちまち茹でたザリガニのように、真っ赤になった。

ヴィクトルも元気づけに雪を頬に塗った。

ソーニャは中庭に出て、寒さをものともしないおじさん二人を見て驚いていたが、やがて家の中に戻った。

夜九時までソーニャはテレビを見て、男たちはパートナーなしでトランプ遊びのプレフェランスをした。それから、いさぎよく遊ぶのをやめ、正月の串焼き料理《シャシルイク》のための焚き火を用意しはじめた。

「ペンギンとテレビのにてるとこ、どーこだ？」また中庭を覗いていたソーニャがなぞなぞを出した。

セルゲイとヴィクトルは顔を見合わせた。

「立ったまま眠るところ?」ヴィクトルが想像力を働かせる。

「はずれ」と、ソーニャ。「りょうほうとも、しろくろ、でした!」そしてベランダに出て戸を閉めた。

ほどなくして焚き火が燃えあがった。セルゲイは肉を金串に刺している。ヴィクトルはそばに立っていた。

「シャシルィクは、今年のうちに食べるのかな、それとも新しい年になってから食べるのかな?」ヴィクトルがふざけて聞いた。

「食べはじめるのは今年で、食べ終わるのは新年にしよう! 何しろ二キロもあるんだから!」

準備が万端整ったので、またテレビの前に座り、底抜けに明るい映画『ダイヤモンドの手』を見た。映画が終わるころには、ソーニャは寝入っていたので、二人の男は新年まで起こさないことにした。テーブルをキッチンからベランダに移し、電気コンロを載せてスイッチを入れる。コンロが空気を暖めている間に古いテーブルクロスをかけ、食卓のセッティングをする。中央にシャンペンを二本、ペプシの二リットルボトルを置き、魚の缶詰を開け、チーズとソーセージを切り分けた。食卓は正月の楽しい宴会らしくなってきた。

「これでよし、次はミーシャの食事だ!」セルゲイは、かけ声をあげながら、低めのマガジンラックをベランダに持って出た。

ラックを大きなテーブルと並べて置いてから、大きな皿を持ちだした。

「かわいそうなミーシャ!」溜め息をついた。「温かい食べ物の味も、体を温めるものの味も知らないなんて! ミーシャにほんのおふざけで、飲ませてみようか?」

「何言ってるんだ！」ヴィクトルはあくまでも真面目に反対した。

「ごめん、冗談だよ！　何時？」

「一一時近く」

「モスクワじゃ、もう乾杯してるな！」セルゲイが言った。「ソーニャ、起こす？　それとも、まず俺たちで軽く体をほぐすのが先？」

「体をほぐすほうにしよう」そう言って、キッチンから飲みかけの果実酒を持ってきた。

軽く体をほぐしてから、ソーニャを起こした。少女は起きるとすぐ、テレビつけて、とせがんだ。結局テレビは、部屋の中でずっとつけっ放しになっていたが、不思議なことに、アナウンサーの声がぼそぼそとベランダに届くと、それがなぜか雰囲気を盛りあげるのに一役買った。

「どうしてミーシャには、なんにもないの？」隣に立っているペンギンを見て、ソーニャが聞いた。

ヴィクトルはバッグに手を突っこんで、中身のぎっしり詰まった派手な紙袋をそこから取りだした。

「一応これがミーシャの新年のプレゼントだけど、南極じゃ、もう新年が来てるってことも勘定に入れよう！」ヴィクトルはそう言って、紙袋の中でごそごそ手を動かした。

やがて中からもう一つ別の紙包みを取りだしたが、今度は「特製パッケージ」だったので、ナイフで切らなければならなかった。ようやくラックの上の大きな皿にプレゼントの中身をあけると、だれもが言葉を失った。みなミーシャのプレゼントをじっと見つめている。たしかに驚くべきものだった——皿の上には、小さなタコ、ヒトデ、大きなエビ一つかみ分、ロブスター、その他にも解凍した海の生き物がいろいろあった。ペンギンも自分からラックに寄ってきて、もらったプレゼントを眺めた。人間に負けないくらい驚いているみたいだ。

「気前がいいなあ！」やっとセルゲイがそう言って溜め息をついた。「こんなの一度も食べたことない！」

「俺じゃないんだ……」囁き声で言った。「ソーニャの親父さんからミーシャにって……」そして少女を見やった。

ソーニャは聞いていなかった。ペンギンのほうに身を屈めて、ヒトデを指さしている。

「これはヒトデ！　でも、こっちはわかんない……」今度はロブスターを指さして言った。

テーブルについた。ペンギンは、特に合図を待っているはずもなく、キングサイズのエビを食べはじめている。部屋のテレビから、時計の打つ音が響いてきた。セルゲイがシャンペンのボトルをつかみ、栓のワイヤーをはずし、ボトルを振った。栓はぽんと飛びだし、シャンペンがカットグラスに注がれた。ヴィクトルはソーニャにペプシを注いでやった。

別荘区域の上空に、色とりどりの信号弾が音を立てて上がり、すぐそばに落ちてきて、冬の中庭を緑や赤に染める。信号弾の音の合間には、本物の銃声も何発か聞こえてきた。

「あれはT・T《トゥーラ・トカレフ》ってやつだよ」わけ知り顔でセルゲイが断定した。

暦は新しい年にかわった。中庭では焚き火が燃え、飾りつけられたツリーを照らしている。あちこちで空に花火が打ちあげられている。ベランダでは宴たけなわ。男たちはシャンペンを堪能し、ソーニャはペプシを好きなだけ飲んだ。ペンギンはもう注目の的というわけではなく、さっきからずっとラックで食事をしている。エビを食べ終わり、小さなタコに見入っているところだ。

中庭の焚き火が燃えつきると、石炭が鉄製火鉢に移され、その上にシャシルィクが三本載せられた。

「プレゼント」ソーニャがはっと気がついた。「わたしのプレゼント、どこ?」

ヴィクトルはまたバッグに手を差し入れて、〈ペンギンじゃないミーシャ〉からの、包装紙に包まれたプレゼント二つと、自分の買った包装していないバービー人形を出した。

「そんなの、だめ!」ソーニャが言った。「ぜんぶツリーのとこにおくの!」

ヴィクトルは言うことを聞いて、プレゼントをツリーの下に持っていった。

「おじさんにも、プレゼントあったでしょ!」ソーニャが思い出させてくれた。

ツリーの根元、雪の上にプレゼントを置いてベランダに戻ってくると、自分宛てのプレゼントをバッグの中に探って、突如その形と重さに慄然とした。バッグの中に手を入れたまま、カラーの包装紙を取ると、手に冷たい金属を感じた。疑いようもない——〈ペンギンじゃないミーシャ〉がくれたプレゼントはピストルだ。手が震えた。中を覗かずにピストルに包装紙を巻きつけて、バッグのファスナーを閉じた。

「ねえ、おじさんの、どこ?」ソーニャが大声で聞いた。「いっしょにあけなくちゃ」

「忘れてきた」ヴィクトルも大きな声をあげた。「うちに忘れてきちゃった……」

ソーニャは気をそがれたように両手を垂らし、悪いことをした子供を見るときに大人がよくするような顔つきで見た。

「もう! こんな、おおきいのに、わすれるなんて!」

でもヴィクトルはもう中庭に出ていた。火鉢のそばにしゃがんで、シャシルィクをひっくり返しているセルゲイのかたわらで立ち止まった。

「ねえ、ソーニャのプレゼント見せてよ！」セルゲイが大声で言った。

ソーニャはツリーの下にもぐりこんで、雪に腰をおろした。包装紙をびりびり破く音が聞こえてくる。ヴィクトルはツリーに寄っていって身を屈めた。

「さあ、何だった？」だいぶ落ちつきを取り戻し、心から興味があるといった振りをして聞いた。

「オモチャだ」ソーニャが言った。

「どんなの？　見せて！」

「おしゃべりどけい！　こういうの、みたことある！　ほら、きいてて！」

「ちょうど一時です！」という金属的な女性の声が言った。

「もう一つのは何？」

「こっちは、わかんない……」ソーニャはもう一つのプレゼントにあちこち触りながらつぶやいた。

ソーニャは、包装紙をがさがさ言わせながら、やっとのことでツリーの下から這い出てきた。両手に何か抱えている。ヴィクトルのほうに来て、二つめのプレゼントを差しだした。

「これ、なに？」

持っていたのは、ゴムバンドで留めたドル札の分厚い束だった。ヴィクトルが札束を手にとった。

「これ、なに？」

「お金だ……」ドル札をぽかんと眺めながら、小さな声で言った。

「何だった？　金なの？」セルゲイがやってきた。

もっとよく見ようとして屈みこみ、仰天してすくんでしまった。

「一〇〇ドル札ばかりだぜ！」ひそひそ声でセルゲイが言った。

「わたしも、なにか、かえる？」ソーニャが聞いた。

「うん」ヴィクトルが答えた。

「テレビ、かえる？」

「買えるよ」

「バービーのおうちは？」

「それも買える……」

「わかった、もとどおりにしとく」ソーニャは、ヴィクトルの手から札束を取った。「おうちのなかにもってく」

少女はベランダにあがった。

セルゲイがじっとヴィクトルの目を見つめている。

「あの子の親父さんからだ……」ヴィクトルは、口にされない質問に答えた。

セルゲイは下唇を噛み、火鉢のところに行ってしゃがみ、囁き声で言った。

「俺にそういういいパパがいなくて残念だよ……」

ヴィクトルは聞いていなかった。心に新たな重荷がのしかかった。〈ペンギンじゃないミーシャ〉からのプレゼントは、自分に何か義務を負わせるもの。そんな感じがする。〈ペンギンじゃないミーシャ〉の最初のメモを思いだした。「あんたなら責任を持って面倒を見てくれるだろう……」って書いてあった。「馬鹿らしい。どうせ新年の戯言にきまってる……。なんで俺にピストルが要るんだ？　なんであの子にあんなに金が要るんだよ？……」と思った。

「ねえ」セルゲイが肩に触れてきた。「養育係に雇われたんじゃないの……。しかも、あの子が自分で支払うってわけ！」そして笑った。「さあ、シャシルィクが焼けたよ！　続きといこう……」

嫌な考えから気をそらしてもらって、ありがたかった。ヴィクトルは立ちあがった。セルゲイはもうシャシルィクを持って家のほうに運んでいる。

ソーニャを呼ぼうと部屋を覗いたが、贈られたドルの札束を目の前に置き、その上に小さな手のひらを載せて眠っていた。

音を立てないように気をつけながら部屋を出てドアを閉める。ベランダでテーブルにつき、振りかえってペンギンを見た。マガジンラックから離れたところに立っている。

「さて、どうする、景気よくウォッカとシャシルィクでいく？」セルゲイが辛子酒を開けながら聞いた。

「景気よくいこう！」セルゲイに空のグラスを差しだした。

一〇〇グラムずつ「景気よく」飲んでシャシルィクを食べると、二人はどっと疲れを感じて、寝にいった。

「ちょうど三時です」おしゃべり時計の女性の声が響いた。

37

午前一一時ごろ、窓を叩く音に気づいて、目を覚ました。

「お隣さん！」だれかが楽しげなかすれ声で呼んでいる。「新年おめでとう！」

起きあがって窓のほうに行くと、中庭に男二人と女の子たちの立っているのが目に入った。男たちの顔には見覚えがある。どこで会ったのだったかすぐに思いだした——夜中に爆発音がしたとき、彼らもやはり、地雷で吹き飛ばされた泥棒の死体のそばにいた。二人とも腫れぼったい顔をしているが、一緒にいる女の子たちだって、すがすがしい顔というわけではない。

「ねえ！」髭面のほうが窓を叩いている。「ペンギン見せてよ！　いいでしょ？」そう言って、シャンペンのボトルを持った手を窓のほうに上げた。

セルゲイを揺すって起こした。

「お客さんだぜ！」

「何だって？」セルゲイはつぶやいた。

数分後には、セルゲイもすっかり目が覚めていた。

まもなく全員ベランダのテーブルについた。テーブルの上には食べ残しがたくさんあるし、火の消えた外の火鉢には、夜中、焼かないでそのままにしてあったシャシルィクが、凍ったまま残っている。

みなで、ペンギンを心ゆくまで眺め、食べたり飲んだり、一口話《アネクドート》を披露しあったりした。ヴィクトルはお祭り騒ぎにうんざりしはじめ、早く終わってくれないかとじれったい思いがした。でも、それほど長いことじらされなかった——女の子の一人が酔って泣き言を並べはじめ、眠いと言うので、客たちはまもなく帰っていった。

セルゲイはこめかみを擦り、まだ少しぼんやりした目でこちらを見た。

「明日は仕事なんだ……」残念そうに言った。

ヴィクトルは考えこんだ。町に帰るわけにはいかないし、編集長に電話をするにも早すぎる。

「ここにあと何日かいていいかな?」

「ずっといてよ!」セルゲイは手を振った。「俺のこと? そのほうがいいくらいなんだ——だれかいれば、どんな阿呆だって泥棒に入らないだろうから……」

セルゲイは頭が痛いと言っていたが、それでもその夜、町に帰っていった。

「何かあったら電話してくれ。公衆電話は、大きな並木道の始まるところ、守衛の家のそばにある」別れしなに言った。「警備のやつには、君たちがここにいるって言っとく……。でもいいか、あの札束にはもっと気をつけなくちゃ……。どこかに隠したほうがいいよ」

ヴィクトルは頷いた。

エンジンを唸らせて「ザポロージェッツ」は行ってしまった。またしても、あたりは静かになった。部屋の中から、低く抑えられたテレビの音がかすかに聞こえてくる——ソーニャがテレビ映画を見ているのだ。

「ねえ」ソーニャの隣に座って言った。「お金、しまっといてあげよう!」

「はい、これ！」ソーニャは札束を渡した。「でも、なくさないでね！」
もらったピストルの入っているバッグにドル札をしまい、そのバッグを地下貯蔵庫に隠した。

38

それから何日かは静かに、たいした出来事もなく過ぎた。地元警察が、窃盗未遂犯の遺体を引き取りに来たことを勘定に入れなければだが。それも、守衛のワーニャ爺さんに頼まれるまま、全員そろって警察が来るのをおとなしく待っていただけで、「証人になる必要もあるまい」とワーニャ爺さんが言うので、それに従った。警察が帰ると、ワーニャ爺さんがまたやってきて、「撤退」したことを知らせてくれ、「丸くおさまった」と言った。

「あの別荘を持ってる人は何も沙汰なしかい？」ふと興味を持って聞いた。

ワーニャ爺さんはにやりと笑った。

「ついこの間までおったが、大佐でよ！　地雷を埋めたのは、あの男を殺すのが狙いだったんだ。泥棒よけじゃないんだとさ……。わかりきったことよ。これからはそんなに地雷を埋めないんじゃないかね……」

ソーニャは一日の大半をテレビの前で過ごし、どうしようもなくつまらない番組になったときだけ、中庭に出るか、ベランダでペンギンと遊んだ。

やることがなくて辛かった。何でもいいから何かしたい。役に立たないことでもいいから何かしたかった。でも、別荘では何もすることがなく、ひどく辛い思いをしながら、部屋を覗いては自分もテレビの前に座ってみたり、テーブルと電気コンロを運び入れたキッチンでぼんやりしたり、所在なかった。

とうとう我慢しきれなくなり、ソーニャに中庭に出ないよう言いつけて、編集長に連絡をとるため公衆電話に向かった。

受話器をとったのは秘書だった。

「イーゴリ・リヴォヴィチ編集長をお願いします」

「ターニャ、受話器を置いてくれ」聞き覚えのある声が聞こえてきた。「もしもし！」

「ヴィクトルだ……。そろそろ帰ってもいいかな？……」

「なんだ、どっかに行ってたのか？」編集長はわざとらしく驚いた声で聞いた。「もちろん、いいさ。万事順調だ。戻ったら、すぐ来てくれ。見せたいものがあるんだ！」

編集長との話を終えると、今度はセルゲイに電話をし、なるべく早く迎えに来てくれるよう頼んだ。

別荘に戻るときには気持ちも少し明るくなっていた。これでやっと正月らしいお祝い気分になれる。とはいえ、元日はもう過ぎてしまったけれど。足元でまた雪がきゅっきゅっと鳴っているが、今はこの音を聞いても心地よく感じられる。四方を見渡すと、この瞬間まで注意を払わなかったことに気がついた――猫や犬の足跡の合間を縫うようにして歩き回っているウソの群れや、冬景色の中の木々が、彫刻のように美しいということに。どこか遠く、忘れられた記憶の奥から、理科の授業の思い出がふと蘇った。ずっと昔、獣たちの足跡の見分け方を教わった。それだけでなく、教科書に描かれていた足跡――点々と二つずつ残されたウサギの足跡――までくっきりと思いだした。「ウサギは、ぴょんぴょん跳ねて走りながら、追跡者たちから姿をくらますんですよ」と初めて習った先生の声が過去のかなたから聞こえてくる。

39

ピストルとドル札の入ったバッグを自宅アパートのタンスの上に放りあげ、ソーニャとペンギンに留守番をさせて、編集局に向かった。

編集長は、満面の笑みで迎えてくれた。肘掛け椅子を勧め、コーヒーを振るまい、新年をどう過ごしたかあれこれ質問してくるのは、仕事の話を先に延ばしたいからにちがいない。コーヒーも飲んでしまい、双方が黙りこくり、中身のない会話で間をもたすにはどう考えても馬鹿げているというところまできて、ようやく編集長は自分のデスクの引きだしから大きな封筒を取りだした。こちらの目を見つめて、封筒から写真を数枚出し、渡してよこした。

「見てくれ、君の知りあいかもしれん」と編集長は言った。

写真には、立派な身なりをした若い男二人の死体が写っている。二五歳くらいで、だれかのアパートの床に倒れているが、きちんとおとなしく横になっており、手足もばらばらになっていないし、恐怖や痛みに顔を歪めてもいない。

「どうだ、知ってる?」

「いや」

「こいつらが君を探してた……。こっちは記念にやろう！」あと二枚写真をよこした。

その二枚にはヴィクトル自身が写っていた——ハリコフのオペラ劇場の地下にあるカフェでテーブルについているところと、やはりハリコフの路上にいるところだった。

「遠慮深いやつらだった」編集長が切りだした。「二人のうち、消音装置付きピストルを持っていたのは一人だけで……。ともかく、やつら、君を探し出すことができなかった……。でもその写真のネガが」ヴィクトルが手にしている二枚を顎で指した。「ハリコフのどこかにあるはずだ……。まただれかを送りこむなんてことはしないと思うが、用心に越したことはない」

最後に、編集長は次の〈十字架〉たちの資料が入ったファイルを手渡した。

「ぼつぼつ仕事に戻るんだな！」ヴィクトルは肩をぽんと叩かれ、そろそろ編集長室を去る頃合だと悟った。

40

一月の冬は怠け者だ——一月はまだ寒さが続いていて、去年の雪が融けずに地面を覆っているだけだからだ。正月の飾りつけは、まだあちこちで店のショーウィンドーを賑わしているものの、お祭り気分はとっくに消えて、人々は日常生活や明日のことにかまけている。ヴィクトルは〈十字架〉原稿をまとめていた。今回、書類の詰まったファイルは編集長からじかに渡された。というのは、フョードルが暮れに新聞社を辞めさせられていたからだ。〈十字架〉たちの目録はどんどん増え続けている。新しいファイルの中には、巨大工場の工場長や株式会社の代表などの一件書類がいくつも収められていた。ほとんどの人が、金を横領して外国の銀行に送ったとされており、禁止されている原料を取引した者もいれば、うまく立ち回ってバーター貿易で外国に自分のプラントを押しつけている者もいる。たくさんの事実が引き合いに出されているが、幸い、編集長が赤鉛筆で下線を引いているのは、そのうちのわずかだった。とはいえ、仕事はなかなかはかどらなかった。哲学的な思索が尽きてしまったのか、インスピレーションが湧かないのか。ともかく、どの〈十字架〉を書きあげるにも、気を張りつめてタイプライターの前に何時間も座っていなければならず、最後の最後には書いたものに満足するのだけれど、重苦しい感じが両肩にのしかかって疲れがとれず、もうソーニャのこともペンギンのこともかまってやる余裕がない。でも、別荘から戻ってすぐ、ソーニャにねだられてカラーテレビを買ったので助かった。今では毎晩、客間に置いたテレビの前にみな集まるようになっていたが、リモコンを握っているのはいつもソーニャだった。

「わたしのテレビだもん！」と言われれば、そのとおりと答えるしかない。実際のところ、ソーニャの金で買ったテレビなのだ。

ペンギンもテレビに興味があるらしい。ときとして、急に画面のすぐ近くまで寄っていって立ちふさがり、邪魔をすることがある。そういう場合は、たいていソーニャが寝室に優しく連れていってやる。寝室の鏡の前に立って自分の姿を観察するのが、ミーシャは好きなのだ。驚くべきは、ソーニャがいかにも楽々とペンギンを「操れる」ことだった。もっとも少女のほうが、よっぽど長いことペンギンと一緒にいるのだから、何も驚くには当たらないかもしれない。何度かソーニャ一人で夜ペンギンを連れて野原に行き、鳩小屋のあたりを歩きまわったこともある。

ある夜、ドアのチャイムが鳴った。覗き穴から見て、まったく見も知らぬ男が立っているので、ぎょっとしてしまった。自分を探しまわっていたという男二人の遺体の写真が、すぐ頭に思い浮かぶ。四〇がらみの男がドアのむこうで大きな溜め息をつき、もう一度チャイムのボタンを押した。その音は、息を潜めていたヴィクトルのすぐ頭の上で鳴りわたった。

うしろのドアが軋み、静まりかえっていた中にソーニャの声がかん高く響いた。

「あけて！　だれか、ベルならしたよ！」

するとまたチャイムが鳴りわたった。手でどんどん叩く音も加わった。

「どなたですか？」いらいらした声でヴィクトルが聞いた。

「開けろ！　心配ない！」ドアのむこうからの声。

「だれに用なんだ？」

「あんただよ、他にだれがいるって言うんだ！　怖がらなくていい！　ミーシャの件だ！」

鍵のほうに手を伸ばしたが、その間にいったいどっちのミーシャの件でやってきたやつか素早く見抜こうとした。いや、ペンギンに用のあるはずはない。ついにドアを開けた。

痩せて、髭の剃ってない、細い鼻の男が中に入ってきた。中国製のダウンジャケットを着て、ニットの黒い帽子をかぶっている。ポケットから二重か三重に折った紙を取りだして、手渡した。

「これが名刺だ」そう言って、にやりと笑った。

紙を開いて、目のそばに持っていき、背筋のあたりがぞっとした――自分自身で書いた原稿、〈ペンギンじゃないミーシャ〉の友人でありライバルでもあるチェカーリンの〈十字架〉だったのである。

「さてと、お近づきになりますかね？」客は冷たく言い放った。

「チェカーリンさん？……」ヴィクトルはそう聞き、振りかえって、開いたドアのところにまだ立っているソーニャのほうを見た。「部屋に行っといで！」厳しく言いつけると、客に視線を戻した。

「そうだ」客は言った。「さてと、どこかにちょっと腰かけようか。話があるんだ……」

客をキッチンに連れていった。チェカーリンがさっさとヴィクトル専用の席に座ってしまったので、その向かいに座るしかない。

「よくない知らせだ」チェカーリンが言った。「残念だが、ミーシャが死んだ……。それで、あいつの娘を引き取りに来た……。あの子が隠れてる必要はもうないからな……。わかるだろ？」

相手の言うことはなかなか呑みこめず、ところどころしか理解できなかった。二つの大事な事柄が、どうしても結びつかないのだ――ミーシャが亡くなったことと、この男が今ここからソーニャを引き取っていこうとしていること。急にきりきりと頭痛に襲われたかのように手のひらを額に当てて、自分の手の冷たさを感じた。

「どんなふうに死んだんです？」目の前のテーブルを見つめながら、ふと聞いた。

「どんなふうにって？」相手が驚いたように聞き返した。「ほかのやつらと同じさ……。いたましく……」

「でも、どうしてあの子が引き取られなきゃいけないんです?」こう聞いたのは、しばらく口をつぐんでからだったが、その間になんとか自分の考えに筋道を立てることができた。

「友達だったからな……」客は言った。「あの子の面倒を見るのは俺の義務さ」

ヴィクトルは前を見つめたまま、いや、と首を横に振った。客が驚いた様子でヴィクトルをじっと見据えた。

「だめだ」思いがけないほどきっぱりした声を出した。「ミーシャは、俺にあの子の面倒を見てくれって頼んでいった……」

「あのな」疲れた声で客が切りだした。「あんたの『庇護者』のことは大いに尊敬申しあげるが、あんたは間違ってる。それに、ミーシャがあんたに頼んだって、どうやって証明できる?」

「ミーシャのメモがある」落ちついて答えた。「見せてもいい」

「よし、見せてみろよ!」

客間に行った。窓辺に置いておいた書類の間に、ミーシャが「埃がおさまったら」必ず姿を現すと約束しているメモを見つけだした。ペンギンと一緒にスケートを見ているソーニャのほうを振り返ったとき、急に玄関のドアがばたんといった。廊下に出てキッチンを覗いた。客は挨拶もしないで帰ってしまった。ヴィクトルの書いた自分自身の追悼文をテーブルの上に残して。

数分後、エンジンのかかる音が外から聞こえてきた。窓から見ると、〈ペンギンじゃないミーシャ〉が持っていたのと寸分違わぬ長い胴体の車が、街灯の光の中に浮かびあがった。

「あのおじさん、なんできたの?」キッチンを覗いたソーニャが聞いた。

「君を引き取りに来たんだけど……」振り返らずにつぶやいた。

「なに？」聞き取れなかった少女がもう一度聞いた。

「何でもない。話しに来ただけだよ……」

ソーニャはテレビに戻り、ヴィクトルはキッチンのテーブルの前に腰をおろして考えこんだ。思いめぐらせたのは自分の人生についてだったが、そこではすでにソーニャの果たす役割がかなり大きかった。あまり目立たない役割のように見えるが、それでも、面倒を見なければならないし、ソーニャのことを考えなければならない。でも、この子の面倒を見るっていっても、もっぱら食べ物のこととたまに交わす会話くらいじゃないか。俺の日常にとっちゃ、ソーニャがいるというのは、ペンギンのミーシャがいるのと同じくらいの重みしかない。ところが、ソーニャを連れ去ろうとするやつが現れたとたん恐怖を感じ、その恐怖が思いがけない決断力を生んだ。それにしても、また「守られている」だの「庇護者」だのといった俺自身の知らない話が出てきた。こうなってくると、まるで自分の人生が真っ二つに分かれているみたいだ——半分は自分の知っている部分、もう半分は自分の人生なのに自分でもわからない部分。いったい、こっち半分には何があるんだろう？　どんな中身なんだろう？　下唇を嚙んだ。謎解きなんか絶対したくない。編集長がいつも赤鉛筆で「基本的な事実」を示してくれるので、それに慣れてしまっていたが、じつはどんな文も、どんな考えも、「基本的な事実」からかけ離れていく可能性があるのだ。この夜、頭の中で飛び跳ねているさまざまな考えを紙に書くとしたら、そのうちのどれが赤鉛筆にふさわしいのか、とても決められそうになかった。

41

奇妙といえば奇妙だが、何日か経つと、チェカーリンが訪ねてきたことをもう思い出さなくなっていた。すっかり仕事に打ちこんでいたのだ――編集長から電話があって、急いでほしいと慇懃に言われてからは、とりわけ熱心になった。〈十字架〉と〈十字架〉の間に短い休憩をとってお茶を飲みながらも、なるべくソーニャをかまってやらなくちゃ、人形劇場とかあちこちに連れて行かなくちゃ、と考えている。でもこの「やらなくちゃ」はすべて、もっと自由な時間ができるまで当分の間お預けだった。少女を喜ばせてやれるのは今のところ、たったひとつ、アイスクリームや甘いものしかなかったので、たくさん買ってやっていた。買い物をしに外出するのが、新鮮な空気を吸う唯一の機会だった。ヴィクトルの外出が頻繁になればなるほど、ソーニャとペンギンのミーシャは喜んだ。ペンギンと違って、ソーニャは大きな声を出して喜びを表す。「ヴィクトルおじさん」と呼ばれることが増えてくるのは、満更でもない。でも肝心なのは、ソーニャが文句も言わずに一日の大半を家で過ごしてくれることだ。夕方、テレビの前にそろって腰をおろし、いつものメキシコのシリーズ番組を見ていると、番組の内容などどうでもよく、ただただ心地よく落ちついた気分になるのだった。ヴィクトルはこの冬を愛した。いやなことは、仕事やテレビにまぎらしてすぐに忘れることができた。

「ヴィクトルおじさん」ソーニャが人さし指でテレビの画面を叩いた。「どうしてアレハンドラにはベビーシッターがいるの？」

「たぶん親が金持ちなんだろう」

「おじさん、かねもち？」

ヴィクトルは肩をすくめた。

「それほどじゃない……」

「わたしは？」

少女の顔を見た。

「わたし、かねもち？」ソーニャはまた聞いた。

「そうだね」頷いた。「ぼくより金持ちだよ……」

このやり取りを、翌日の「お茶の時間」に思いだした。ベビーシッターを雇うのにいくらかかかるかわからないが、ソーニャのためにベビーシッターを雇ったらいいんじゃないか、という考えは大発見のように思えた。

夕方、友達のセルゲイが赤ワインを持ってやってきた。キッチンから窓の外を眺めると、湿ったぼたん雪が降っていて窓ガラスにくっついてくる。

セルゲイは少し興奮気味だった。

「あのね、モスクワの警務主任にならないかって言われたんだ……。給料がここの一〇倍なんだって。住まいはただだし……」

ヴィクトルは肩をすくめた。

「モスクワが大変だってこと、知ってるじゃないか……。銃撃、爆発……」

「ここだって同じだよ」セルゲイが答えた。「それに特殊部隊に入るわけじゃないんだ……。こと同じような仕事だよ……。一年だけ出稼ぎに行ってくるのも悪くないだろ?」

「ま、君の決めることさ……」

「そうだね……」セルゲイは溜め息をついた。「で、そちらの厄介なことはどうなった、片がついたの?」

「どうもそうらしい」

「それは何より」セルゲイは頷いた。

「ねえ」ヴィクトルは、物問いたげに友人の目を見て言った、「だれか、ちゃんとした女の子知らない? ソーニャのベビーシッターを探してるんだ……。信頼できて、あんまり高くないような」

セルゲイは考えた。

「姪がいるけど……。二〇歳《はたち》で、仕事してないんだ……。聞いてみようか?」

ヴィクトルは頷いた。

「ひと月いくら払えるの?」

「五〇ドルくらいでどうかな?」

「オーケイ」

42

翌日、ペンギン学者の老人が思いがけなく電話してきた。

「ピドパールィだが」親しげだが弱々しい声で老人は言った。「ヴィクトル！　あんたかね？」

「はい、そうです」

「ちょっと来てくれんかね」ピドパールィが言った。「具合が悪くてな……」

仕事もそっちのけに、スヴャトシノの老人の家に行った。

老人は蒼い顔をしており、手が震えている。落ちくぼんだ目の下が黄色い。

「さあ、入った、入った！」ピドパールィはヴィクトルの来たのがよほど嬉しいみたいだ。

部屋の中に入った。暑くて息苦しい。

「どうしたんです？」

「どうもこうも……。腹が痛くて、もう三日も寝ておらん……」老人はテーブルの前に腰かけて愚痴をこぼしはじめた。

「医者は呼んだんですか？」

「いや」ピドパールィは手を振った。「医者など呼ぶもんか。こっちはもう役立たずだし、払う金もない」

ヴィクトルは電話のところに行き、救急車を呼んだ。

「無駄だよ！」老人はまた手を振った。「来るには来るが、すぐ帰っちまう。わかってるんだ……」

「座っててください、お茶を淹れますから！」そう言いつけて台所に行った。

台所のテーブルには、汚れた食器やら食べ残しやらが一面に散らかっている。吸殻が茶碗に捨てられて湿気ている。その茶碗をふたつ取って水を入れ、吸殻ともども流しに空けた。茶碗を水ですすぎ、それからヤカンをレンジにかけた。

しばらくするとお茶の用意ができ、二人とも黙って部屋のテーブルについた。話もせず、救急車の到着を待った。老人は、皮肉な薄笑いを浮かべることもあり、ときおりこちらをちらちら見ている。

「こないだ言ったろう、この世で一番いい時期をもう経験しちまったって……」弱々しいかすれ声で、教えさとすようにピドパールィは言った。

ヴィクトルは答えなかった。

ようやく玄関ドアのチャイムが鳴った。准医師と看護士が入ってきた。

「病人は？」准医師は、今しがたもみ消したばかりのタバコの焦げたところを右手の指でねじりながら聞いた。

「この人です！」ヴィクトルが老人のほうを顎で示した。

「どこか痛いんですか？」准医師がピドパールィの顔をじっと見ながら聞いた。

「腹だよ……このへん」老人は手で示した。

「ノ＝シュパを投与するかな？」准医師が看護士のほうを振りかえってそう尋ねたが、看護士は不機嫌そうに部屋をあちこち見回している。

「いらん。効かない」ピドパールィが言った。「もう飲んだことがある……」

「それ以上は何もありません」准医師は、困った、というように両手を広げた。「行こうか！」

看護士に片手で合図して出口のほうを向いた。

「待ってください！」ヴィクトルがそう言うと、准医師はいぶかしげな目で見返してきた。

「何です？」

「病院に連れていくことぐらいできるでしょう？」

「連れていくことはできますが、どこが受け入れると思います？」准医師は、誠実そうに溜め息をついた。

ヴィクトルはポケットから五〇ドル取り出すと、准医師に差しだした。

「ともかくどこかに入院させてもらえますね」

准医師は言葉に詰まり、もう一度、まるで値踏みするかのように老人を見た。

「もしかしたら、オクチャーブリ病院なら……」准医師は言って肩をすくめた。

そして横からヴィクトルに近づいて、ぎこちなく緑色の紙幣を受け取り、汚らしい白衣のポケットにしまった。

ヴィクトルはテーブルに屈みこんで、鉛筆と紙切れを見つけ、自宅の電話番号を書いた。

「これ」准医師に紙切れを渡した。「あとでここに電話して、この人の容態とどこに入院したか、知らせること……」

准医師は頷いて、老人に向かって乱暴に声をかけた。

「行きますよ！」

老人はせかせかしはじめ、あぶなげな足取りで台所に行ったと思ったら、戻ってきた――震える手に、何かがちゃがちゃいうものを握っている。

「ヴィクトル、鍵を持ってて、あと、閉めといてくれないか……」

准医師と看護士は、ピドパールィが着替える間、辛抱強く待っていた。それから、病人ではなく囚人のように連れていった。

他人のアパートで一人きりになったヴィクトルは、長いこと台所のテーブルの前に座り、埃っぽく澱んだ空気を吸っていた。あたりは生暖かい湿気の饐《す》えたような臭いがしている。何だかしっくりこない。ようやく立ちあがったが、このままアパートを出て行くのは気がひける。この部屋がなつかしい廃墟のように思え、ここにいると、心から気の毒に、と思う気持ちが湧いてくる。きっと部屋の持ち主の頼りなさが住居の壁に伝わって、あらゆるものが無力感、寄る辺なさを漂わせているのだろう。

出ていく前に台所の食器を洗い、少しばかり整理もした。「爺さんがここに戻ってきたとき、せめて数日の間だけでも、少し片付いたところで過ごせるように……」そう思い、外に出て玄関のドアの鍵をしめた。

夕方、さきほどの名前も知らない准医師から電話がかかってきた。

「爺さん、長くはもちませんよ、癌です……」

「で、入院先はどこです？」

「オクチャーブリ病院、腫瘍科、第五病棟」

「ご苦労様」受話器を置いた。

哀しかった。振りかえってソーニャを見る。

ソーニャがその視線を捉えて聞いた。

「きょうは、あきちに、おさんぽいく？」

「まずは腹ごしらえしてからね」そう言ってキッチンに立った。

43

数日経ち、編集長の使い走りが新しい書類の詰まっているファイルを持ってきた。中身を見ると、今度は軍人、それもかなり階級の高い軍人たちだった。〈十字架〉候補は二〇人。どの履歴書にも共通しているのは、過去へのノスタルジーと武器売買だった。その先は、非合法にウクライナとポーランドの国境を越えたいという人たちを軍のヘリコプターで移送したとか、返ってこないことを承知で輸送用飛行機を貸与したとか、それぞれまちまちだ。さらにその先はもう少し明るい話題になる。でも、この軍人集団は、これまでの〈十字架〉候補者たちとどこか違っている。書類を脇にどけて物思いにふけった。窓の外に目をやると、冬はまだ続いている。また書類を手に取る。そうだ！　この人たちは、将軍も大佐も少佐も、みな道徳的にしっかりした人たちで、良き夫であり、良き父親なのである。

もう一度履歴書を読み返しているうちに、仕事をしたい気分になってくる。ヤカンを火にかけ、テーブルの下からタイプライターを引っぱり出す。

二時間ほど仕事をすると、電話の鳴る音で気をそがれた。セルゲイだった。

「例の件だけど」セルゲイが言った。「姪に話したら、やってもいいって言うんだ！　よかったら、今から三〇分くらいで、姪を連れていくけど……」

「頼むよ！」

暗くなってきた。冬は、夜のとばりが町をおおうのが早い。とりあえず仕事は後回しにして、客間に行って腰をおろす。ソーニャはバービーで遊んでいる。

「ミーシャはどこ？」

「あっちのおへや」

「ソーニャ」口を切る。「今からうちにお姉さんが来る……。君のベビーシッターになってくれるお姉さんなんだ……」

自分の言い方がどうもぎこちないような気がして、ちょっと口をつぐんだ。

「ヴィクトルおじさん」ソーニャが沈黙を破った。「わたしとあそんでくれるひと？」

「そうだよ」ヴィクトルは頷いた。「きっと遊んでくれる」

「なんてなまえ？」

「そういえばまだ聞いてなかった……。セルゲイおじさんの姪。ほら、セルゲイおじさんのところで正月のお祝いをしたでしょ……」

ふいに玄関のチャイムが鳴った。立ちあがって時計を見やり、セルゲイにしてはちょっと早すぎるな、と思った。でも、やはりセルゲイと姪だった。

「ニーナだよ！」中に入ってジャンパーを脱ぎながら、セルゲイは姪のほうを顎で示した。

ヴィクトルは自己紹介した。ニーナのジャンパーを預かって洋服掛けにかけた。

「この子がソーニャ」客間にそれぞれ腰をおろしてから、ヴィクトルはニーナに紹介した。

ニーナは少女に微笑みかけた。

「この人はニーナ」今度はニーナを手で示しながら、ソーニャを見て言った。

またしても、ぎくしゃくした雰囲気を感じて、口をつぐんだ。ここから先は紹介された女の子同士で話を始め、自分の存在は余計なものになるだろうとでもいうように。ところが、ソーニャとニーナは黙って見つめあうばかりだ。

ヴィクトルはニーナを見ていた。丸顔で、栗色の髪は短め。外見からすると一七歳くらいに見える。体にぴったりのジーンズなので小太りなのが目立つが、青いセーターは小さな胸をふわっとおおっている。ニーナにはどこか幼く見えるところがあるが、それは笑い方かもしれない。笑いを抑えているように見える。その原因はすぐにわかった――黄色っぽい歯を隠しているのだ。きっとタバコを吸うんだろう、と思った。

「明日からでも始められますけど……」急にニーナが言った。

「なにしてあそぶ？」ソーニャが聞いた。

ニーナは半ば微笑みながら言った。

「何したい？」

「そりですべりたい！」

「橇、持ってる？」ニーナが聞いた。

「ヴィクトルおじさん、わたし、そり、もってる?」ソーニャは、いたずらっぽい目をぱっちり開けてヴィクトルの顔を覗きこんだ。

「ううん」

「大丈夫よ、持ってきてあげる」ヴィクトルがどんな返事をしようとそれより先に言わなくちゃとでもいうように、ニーナは慌てて口を開いた。「うち、ポドルなんですけど、交通の便がいいので……」そう言って肩をすくめた。

ヴィクトルは頷いた。

ニーナは一〇時に来て夕方五時まで少女の面倒を見る、ということで話がまとまった。

セルゲイとニーナを送りだすと、二重に気が楽になり、ほっと息が出た。嬉しいことに、アルバイトの話はそれほど堅苦しくならなかったし、ソーニャにはベビーシッターができた。まだ始まってもいないのに、早くも肩の荷をおろしたような、やれやれといった気分になっている。

「どう」客間に戻ってソーニャに尋ねた。「ニーナのこと気に入った?」

「うん」少女は明るく答えた。「ミーシャがニーナのこと、すきになるか、たのしみだね!」

44

ニーナが来てくれるようになって、自由になったような気がする。もっとも、それまでだってソーニャのために多くの時間を割いていたわけではないし、今だって前と同じくらいの時間なら割いている――テレビの前に仲良く座って過ごす夕方、夕食、朝食。それでも、かなり時間のゆとりができたように思えるのだ。必ずしも「自由な時間」ではなく、単に「時間」でいいのだが、前ほど自分を責めたり、ソーニャのことを考えたりしなくなったし、ソーニャの面倒を見ていないことに引け目を感じなくなった。今では朝ニーナがソーニャを引き取り、そのまま二人でどこかに出かけ、夕方戻ってくると、一日中遊んで疲れたソーニャが、「きょうは、みずのこうえんにいった！」とか「きょうはプシチャ＝ヴォジツァにいった！」と得意げに言うのだった。

ヴィクトルは満足していた。仕事は少しずつ進んでいるし、冬の寒さは緩んできた。ペンギンはまた部屋を歩きまわるようになり、一度などソーニャを驚かせて叫ばせたこともある。ソーニャがソファに寝て手を投げだしていたところ、ミーシャがその手をつついて擦り寄ったのだ。どうやらソーニャは何か夢を見ていたらしく、暖かい感触が夢に侵入してきたので、悪夢のように反応してしまったのだろう。

軍人たちの仕事を終えたので、休みを取ることにし、しばらくは次のファイルのことで編集長に電話をしないことに決めた。窓の外では雪どけの水がしたたる音がしている。最初の雪どけというわけではないが、そうかといって、まだ最後の雪どけでもない。最後の雪どけになれば、あとは春が来るばかりだ。

ソーニャとニーナはまたどこかへ遊びにいった。ペンギンのミーシャはたっぷり朝食をとって部屋に戻り、バルコニーのドアのあたりに立っている。そこは、けっこう涼しいのだ。

ピドパールィ老人の見舞いに行くことにした。

オクチャーブリ病院に着くまでの間に何度かころんだ。雪どけが人をからかってやろうとして、歩道という歩道をすべて凍りつかせているらしい。しめくくりに、腫瘍科の階段でも転んでしまった。

だれにも尋ねず、自力で第五病棟を探しあてる。学校の体育館を思わせるような巨大な建物だった。アルメニアの兵舎を思いだしたのは、たぶんベッドとサイドテーブルがびっしりと交互に並んでいるせいだろう。看護婦は一人も見当たらない。鼻をつく薬品の臭い。中には、衝立で仕切られているベッドもある。

全体をざっと見回して、ピドパールィを見つけた。窓際のベッドに寝て、じっと天井を睨んでいる。老人の頭が一回り小さくなったように思える。

「こんにちは」

ピドパールィは首をまわして見舞い客のほうを見た。弱々しい微笑が、血の気のない薄い唇に浮かんだ。

「やあ……」

「どうですか。よくなってきましたか」

返事をするかわりに、老人は微笑んだ。

「何も持って来なかったなあ……」隣のテーブルにオレンジが二個置いてあるのに気づいて、きまり悪くなった。「思いつかなかった……」

「いいんだよ……。来てくれただけで、ありがたい……」老人は、外套のような灰色の毛布から手を出して顔のほうへ持っていき、たるんだ頰に生えたごわごわの髭を撫でた。

「いやね、ここじゃ床屋が週に一度、金曜にしか来なくてね。しかも二時間分しか手当てをもらってないらしくて、私のところまでなかなか順番がまわってこないんだ……」

「髪を刈りたいんですか」薄い髪を見て、驚いて聞いた。

「いや、髭を剃りたいんだ」あいかわらず髭を撫でまわしながら老人は答えた。「前そこにいたやつが」右側のベッドを顎で指した。「剃刀セットをくれてね。一式全部だ。ブラシまである……。でも自分じゃできないもんでね……」

「剃りましょうか？」用心深く申し出た。

「頼むよ！」

ピドパールィ専用のサイドテーブルから、剃刀とブラシと、おそらくセットに入っていたらしいプラスチックの広口容器を取りだした。

「すぐ戻ります。お湯をもらってきますから」立ちあがりながら言った。

看護婦か医者はいないかと廊下を二度も行ったり来たりしたが、見つからない。トイレがあったが、蛇口から出るのは冷たい水だけだった。ようやく患者の一人に尋ねて、一階下の厨房を教えてもらう。青い作業衣を着たおばあちゃんが、半リットル缶を見つけて、そこに大型湯沸かし器から湯を注ぎ入れてくれた。

髭剃りそのものは、ものの一時間もかからなかった——剃刀の刃はなまくらで、本体は古かった。老人の頰には切り傷ができたが、血は出ていない。仕上げに、同じ病室の患者からオーデコロンを借りて、少し自分の手のひらにつけて、老人の両頰に撫でつけた。ピドパールィはうめき声をあげた。

「すみません」反射的に謝った。

「いいんだ、いいんだよ」ピドパールィは嗄れ声で答えた。「痛いってことは、つまり生きてるって証拠だから」

「医者はなんて言ってるんです？」

「医者は、もしアパートをくれるなら三ヵ月命を延ばしてやるって言っておる……」老人はまた微笑んだ。「三ヵ月余分に生きたところで何になるかね？　やり残した仕事もないし……」

ヴィクトルは居眠りから覚めたときのように、ぶるっと体を震わせた。体の中に思いがけない怒りがこみあげてきた。右手の指はひとりでに拳をつくっている。

「なんですって、薬も出さないんですか」

「薬はないんだよ。自分で持ってくるやつには飲ませてくれるがね。他の連中には、安静と入院生活が薬のようなもんだ」

口をつぐんで怒りがおさまるのを待った。こんなときは怒っても仕方ないことくらいわかっている。

「その医者は、アパートと引き替えに何をしてくれるって言ってるんです？　薬ですか？」もう一度、でも今度はさっきよりも穏やかに尋ねた。

「なんとかいうアメリカの注射だよ……」老人は、剃ってもらった頬に片手で触った。「それより頼みたいことがあるんだ……」と言い、ようやくのことで横向きになって、ヴィクトルのほうへ体を寄せてきた。「もっとこっちに屈んでくれないか！」

言われたとおりにする。

「アパートの鍵、持ってるだろう?」ピドパールィは囁いた。

「ありますよ」やはり囁き声で答えた。

「いいか、私が死んだら、かならず部屋に火をつけてくれ」ひそひそ続けた。「お願いだ! だれかが私の椅子に座って書類をひっかきまわして、それから全部ゴミ箱に捨てちまうなんて耐えられないんだ。わかるだろ? 私のものなんだから……。慣れ親しんできたものだし、残していきたくないんだ……。ね?」

ヴィクトルは頷いた。

「私が死んだら、全部焼きはらうって約束してくれ」老人は、もの問いたげな、すがるような目でこちらをじっと見ている。

「わかりました。約束します」小声で言った。

「これでよし」老人は血の気のない唇でまた微笑んだ。「一番いい時期はもう経験しちまったって言っただろ?」

ふたたび仰向けになった。苦しそうに息をつき、

「さあ、行った、行った!」と嗄れ声で言った。「髭を剃ってくれてありがとう! やってもらわなかったら、髭面の死人になるところだった」そして片手で近くの衝立を指した。

「なんですか、亡くなったんですか」身の毛がよだつような感じがして、ヴィクトルは囁いた。

「衝立が閉まったら、じき霊安所行きだよ! さあ、帰った、帰った!」

腰をあげ、しばらくの間ピドパールィのそばに立っていたが、老人はもうこちらを見なかった。

天井を睨みつけ、薄い唇をもぐもぐ動かしている——まるで、自分以外のだれにも聞こえない内なる声で話しているみたいだった。

45

翌日はいつもと同じように始まった。窓に太陽の日が燦々と差しこんでいる。ソーニャと二人でキッチンに座って朝食を食べる。玉子焼きと紅茶だ。ペンギンは朝から気分がすぐれないらしく、どんなに呼んでもキッチンに来ようとしない。

ソーニャは、窓際に置いてある目覚ましを食い入るように見つめている。見ていれば、分針を追い立てられるとでもいうように。

一〇時二〇分前にチャイムが鳴り、ソーニャは、座っていた椅子をひっくり返さんばかりにして飛びだしていった。

ニーナが来たのだ——廊下から嬉しそうな声が聞こえてくる。それからニーナは、コートも脱がずにキッチンを覗いて挨拶する。

「今日はどこ行くの?」ヴィクトルが尋ねる。

「スィレツです」とニーナ。「森を散歩して、それからポドルの私のうちに寄ってお昼を食べて……」

「外は凍りついてるから、気をつけて」注意する。「ぼくは昨日、何度もころんだよ」

「わかりました」ニーナは素直に頷き、歯を隠して、ちょっとにっこりした。

「さてと、ジャンパーはどこかな？」ソーニャの身づくろいを手伝ってやるニーナのおどけた声が廊下から聞こえてくる。「それからお靴……」

五分ほどして、ニーナはもう一度キッチンを覗いた。

「行ってきます！」またちょっとにっこりした。

ドアのばたんという音。部屋の中は静かになった。ただシュルシュルいう音だけが客間から聞こえてくる。ドアが軋んで開き、ペンギンのミーシャが廊下を覗いた。廊下にだれもいないので気をよくしたといった様子で、キッチンのドアのほうに近づいて押した。そこにたたずんで主人を見あげている。それから近づいてきて、白い胸をヴィクトルの膝に押しつけた。ミーシャを撫でてやる。

ミーシャは、主人のそばにしばらく立っていたが、やがて自分の鉢のほうへ行って、振りむいた。ヴィクトルは冷凍庫から小さなカレイを二匹取りだして、ナイフで小さく切り分け、ペンギンの前に置いてやった。それからお茶を注ぎ足して自分の席に戻った。

ペンギンの朝食を食べる音しか聞こえないわりあい静かなこのとき、ミーシャと二人だけで暮らしていたときのことを思いだした。落ちついて、あまり話しかけることもせずに暮らしていた。とくに強い愛着は感じていなかったものの、互いに依存しあっていることはわかっていたので、ほとんど親戚のような、愛情はなくても思いやりはあるという関係だった。親戚というのは、必ずしも愛する必要はないけれど、面倒を見たり気づかったりしなければならないものだ。でもこの場合、感情や心情なんて二の次で、どうでもいいこと。うまくやってさえいれば……。

ミーシャは、急いで朝食を平らげると、また主人に寄ってきた。ペットがそんな優しげな振るまいをするのはいつもと違うように思え、撫でてやる。すると、ますます体を自分の脚に押しつけてくるのが感じられた。

「具合が悪いの？」ミーシャを見つめてそっと聞いた。

「そうか」と考えた。「お前を見捨てたようなもんだからなあ……。ごめんよ。ソーニャはお前をほっぽりだして、まずテレビ、それからニーナに夢中になっちゃうし。俺は俺でずっと、ソーニャがお前と遊んでるもんだと思ってた……。悪かったな……」

足元に体を擦り寄せてくるペンギンを不安がらせないよう、さらに二〇分ほどキッチンのテーブルに座ったまま、つい先頃のことを考え、未来のことを思った。目の前に危険が迫ったのはたしかだが、正月の別荘でやり過ごすことができたし、自分の人生がわりと安定したもののように感じられた。すべてが順調にいっている。いや、順調にいっているような気がする。どういう状態を「正常」と呼ぶかは、時代が変われば違ってくる。以前は恐ろしいと思われていたことが、今では普通になっている。つまり、人は余計な心配をしなくていいよう、以前恐ろしいと思ったことも「正常」だと考えて生活をするようになるのだ。だれにとっても、そう、自分にとっても、大事なのは生き残るということ。どんなことがあっても生きていくということだ。

外は雪どけ。

午後二時ごろ、玄関のチャイムが鳴った。ニーナとソーニャが帰ってきたのだろうと思ってドアを開けたら、そうではなく、編集長だった。中に入って自分でドアを閉め、コートを脱ぎ、靴ははいたままさっさとキッチンに行く。

編集長の顔が蒼く、気が動転しているらしいことに気づいた。目の下にはクマがある。

「コーヒー淹れてくれないか！」編集長はヴィクトルの愛用席に腰をおろして言った。

コーヒー沸かしと豆を挽いた粉を取りだした。振りかえると編集長が震えているように見え、たちまちこの震えが自分にまで伝染したように思った。自分の手を見てみる。レンジに火をつけ、コーヒー沸かしに粉を振り入れて水を入れ、火にかける。

「なんでもない、なんでもない……」編集長は何か考えながら、独り言を言っている。

「何かあった？」

「そう……」編集長は、こちらを見ずに言った。「何かあった……。ちょっと待ってくれ……今あったまってから」

キッチンはまた静かになった。ヴィクトルはレンジのそばに立って、コーヒーが沸くのを見守っている。泡が立ってきたので、コーヒー沸かしを火からはずして脇に置いた。茶碗をとってコーヒーを注ぐ。

編集長は両手のひらで熱い茶碗を包みこみ、こちらの顔を見て言った。

「どうも」

ヴィクトルも腰をおろした。

「あのな、君には何も話さないほうがいいと思うんだ……」突然、編集長が言った。「必要ないだろう。こないだ何日か身を潜めてなけりゃならなかったろ」

ヴィクトルは頷いた。

「そうなんだ」編集長は苦々しげに笑った。「今度は俺の番ってわけだ……。ほんの数日、仲間が露払いして道をあけてくれるまでの辛抱……。そうしたら、また仕事に戻る……」

「軍人の〈十字架〉、できてる。ほら、完成原稿、そこの窓のところに置いてある！」

編集長は手を振った。〈十字架〉どころではないのだろう。

コーヒーを飲みおえ、タバコを吸いはじめた。目で灰皿を探したが、見つからないので、じかにテーブルのひとところに灰を落としている。五分ほどじっと考え事をしていた。

「自分の友達や身内に裏切られたら、つらいよな……」編集長はそういって溜め息をついた。

「じつにつらいに決まってる……。今、忙しくない？」

「べつに」

「すまないけど」編集長はヴィクトルをじっと見つめて言った。「編集部にひとっ走り行って来てくれないか……。秘書に電話して、編集長室を開けるよう言っておく。金庫から茶色いカバンを出してここに持ってきてほしいんだ……。今、金庫の鍵を渡す。あとを尾《つ》けられてるって気づいたら、わからないように鍵を捨てて、夜まで街をぶらついてくれ……」

怖くなった。コーヒーを一口飲みこんでから、もう一度編集長のほうに目を上げると、肝のすわったまなざしに出会い、考えていたことはばっさり断ち切られ、疑問に思いそうなことすべてにケリがついてしまった。

「いつ行けばいい？」あきらめて尋ねた。

「今すぐだ」

ポケットから財布を取りだし、そこから鍵を出して渡してよこした。

「ちょっと待て、まず電話する」椅子から立ちあがったヴィクトルを、編集長が押しとどめた。

客間に行き、戻ってきて言った。

「じゃ行ってきてくれ」

雪どけなのに、外は凍えそうなほど寒い。でも、こんなふうに寒さを感じるのは俺だけかもしれない。慌てずにトロリーバスの停留所に向かう。もう恐怖は感じなかった。頭にも体の隅ずみにも、寒さを感じるだけだ。

一時間後、編集部のある建物に入ったが、編集長室にたどり着くまでに、身分証を特殊部隊の当直に三回も見せなければならなかった。蒼い顔をした秘書が頷いてみせ、一言もしゃべらずに編集長室の鍵を開けた。中に入ってドアを閉めると、体中に震えがきた。急に恐ろしくなる——ここに来る途中、一度もうしろを振りかえってあとをつけられていないかどうか確かめなかったことを思いだしたのだ。

なんとか震えを抑えようと、デスクに近づき、編集長の椅子に座ってみる。左側のサイドテーブルに金庫が載っている。鍵を取りだした。数分の間ぐずぐずためらっていたが、ようやく金庫を開けると、下の段に茶色のカバンのあるのがすぐにわかった。カバンを金庫から出して、目の前のデスクに置く。また震えがきて、考えることができなくなってしまった。立ちあがりたくない。編集長室を出たくない。まるで、壁のむこうで危険が待ちかまえていることを、はっきり知っているかのように……。時間を引きのばしたい。もう一度金庫のほうを向いた。上段にファイルが入っており、そのファイルの上に、スタンプの押してある紙がばらばらに載っている。なにげなく手を伸ばして一番上の紙をとると、最近書いたばかりの〈十字架〉の一人、アルマトゥーラ工場の工場長の〈十字架〉である。上の左隅に、達筆のサインとともに決裁が書かれている。

承認する　期日　一九九六年二月一四日

この決裁をじっと見つめた。何かひどくひっかかるものがあり、そのせいで体の震えも恐怖もだんだん遠のいていった。「今日はまだ二月三日じゃないか……」と考えた。他の紙を見てみると、やはり最近書いた〈十字架〉ばかりで、どれも未来の日付けの決裁になっている。もう一度金庫のほうを向き、上段から、これらの〈十字架〉が載っていたファイルをそっと取りだして紐をほどく。中に入っているのも〈十字架〉だった。上のほうのは比較的新しく、どれも決裁済みだ。そのうちのひとつに、「期日　一九九六年二月三日」とあり、先ほどと同じ達筆のサインが認められた。「今日だって？」と考えながら、あてずっぽうに真ん中あたりから何枚か引きだした。その中の一番上にあった〈十字架〉には、もう過去になった日付けの決裁の他に、別の筆跡でこう書かれていた。

処理済

頭の中ですべてがごちゃまぜになり、こんがらかった。茶色いカバンと、ばらばらの紙と、ドアの開いた金庫を見比べた。口の中に苦味を感じる。ふとデスクの上に置いてある紙が数枚、目にとまり、そのうちの一枚を手に取ると、それは印刷所宛の、発送されなかった手紙だった。編集長のサイン以外はコンピュータの印字だ。手紙を目に近づけて、サインをじっくり見てみる。いや、〈十字架〉に決裁を下しているのは編集長じゃない。編集長のサインはずっとシンプルで、ただ苗字を書くだけ、あの達筆のサインと違って判読できる字体だ。それでも、どことなく編集長のサインに見覚えがあるような気がして、束になっている真ん中あたりから引っぱりだした古い追悼記事に目を移すと、そのサインに似た、寒くて震えているようなたどたどしい文字で「処理済」と書いてあるではないか。

突然デスクの上の電話が鳴りだしたので、仰天して飛びあがった。電話機を見ていたが、鳴り止まない。またしても恐怖にとらわれた。だれかが自分を見張っているのではないかと確かめるようにあちこち見回していて、ふいに、天井からこちらに向けられている銃口のようなビデオカメラが目に入った。ブラケットでドアの上のほうに取りつけられている。

慌てて〈十字架〉をファイルに戻し、元あったとおり金庫に返し、その上に別の〈十字架〉を重ねた。金庫のドアを閉めて鍵をかけ、もう一度振りかえってカメラを見た。電話はいつのまにか鳴り止んでいたが、部屋が静かになったら、それはそれで気味が悪い。この静寂を破らないよう注意深く椅子から立ちあがり、カバンを手に編集長室をあとにした。

秘書が振りむいた――自分のデスクに座ってコンピュータに向かっていたのだ。モニターには、追跡者のようなアニメのキャラクターが静止している――コンピュータ・ゲームだ。

「もういいんですか?」こわばったような目で見て秘書が聞いた。

「ああ」絞り出すようにしてようやく声にした。「それじゃ」

46

わき目もふらず、振りかえりもせずに、まっすぐ家に帰った。手はカバンの取っ手をぎゅっと握りしめている。足がひとりでに体を運んでいく。

自分のアパートに近づいたとき初めて、正面玄関そばのベンチに座っている若者がじっとこちらを見ているのに気づいた。スポーツウェアにスキー帽姿だ。

ドアを開け、アパートの中に入る前に耳を澄ました。物音ひとつしない。ドアをきちんと閉める。

「どうだった？」編集長が廊下で出迎えた。

編集長は、ヴィクトルが自分のカバンを持って帰ったのを見て相好をくずし、カバンを受け取ってキッチンに行った。

靴を脱ぎ、コートも脱いであとからキッチンに行くと、編集長はもうテーブルの上でカバンの中身を「品分け」しているところだった。硬めの表紙に三叉の槍の文様が刻まれた緑色の外交官パスポートだけ別に置いてあり、その横にクレジットカード、手帳、何かの領収証があった。

「正面玄関のそばに、なんか若い男が座ってるけど……」テーブルの前で立ち止まって言った。

「わかってる」編集長は顔も上げずに頷いた。「あれは仲間だ……。何か食べるものある？　腹が減ってきた」

編集長を見やると、目の前にいるのは、もう震えてもいなければ恐怖も感じていない、落ちついて自信に満ちた、以前と同じイーゴリ・リヴォヴィチだった。

冷蔵庫を開け、ソーセージとバターとマスタードを出した。

振り返らずにレンジのほうに行ったのに、舌に編集長のタバコの味を感じた。

レンジに火をつけ、編集長が客間に行く足音を聞いた。片手平鍋《パン》ではもう湯が沸きはじめている。客間から編集長の声がおぼろげながら聞こえてくる——だれかと電話で話しているらしい。振りむきたくない。今起こっていることすべてに背を向けていたい。すべて、目にしないうちにどこか自分の生活の外、自分自身の外側で起こってほしかった。

またドアが軋んだ。足音。椅子を動かす音——キッチンに戻ってきて腰をおろしたのだろう。

ソーセージはすでに熱湯の中を泳いでいる。

「手元に現金でドル持ってる?」編集長が聞いた。

「ああ」振り返らずに言った。

「八〇〇ドル貸してくれないか」

それから二人は黙って食事した。窓際の古い目覚ましを見た——まもなく四時になろうとしている。もうすぐニーナがソーニャを連れて帰って来る。そうしたらその後はどうなるんだろう。編集長は何をしようとしてるんだろう。うちに隠れていようっていうのか。どれくらい?　どうケリがつくんだろう。

輪切りにしたソーセージにマスタードをつけて、無意識のうちに嚙んでいたが、ある瞬間ふと、テーブルに何かが足りないような気がした。何が足りないかわかった——パンだ。でも向かいに座っている編集長も、パンがなくても平気でソーセージを食べている。ヴィクトルとちがって、マスタードもつけず、一切れずつフォークに刺して、溶けかけているバターに押しつけてから、口に運んでいる。

「お茶くれないか！」編集長は、空になった皿をどけながら言った。

お茶を淹れた。二人で向かいあったまま、また黙って座っている。編集長は自分の考え事にふけり、ヴィクトルは相手の顔を見ながら、自分の書いた〈十字架〉にだれかの決裁が添えられていたことを思いだしていた。「承認する」という文字の背後に、いったいだれが、そして何が隠れているのか、とても知りたい。でも聞いたところで何も教えてくれないだろうということは、わかりすぎるくらいわかっている。どうせ、「必要ないよ」とかなんとか言って言葉を濁すに決まっている。

溜め息をついた。編集長が自分の考え事をやめてこちらの顔をじっと見つめて言った。

「もうひとつ頼みがある！　今から勝利広場の航空券売り場に行ってきてくれないか。一二番窓口で航空券を買ってきてほしいんだ。八〇〇ドル持ってってくれ。あとで返すから。予約番号は五〇三」

外を見るともう暗くなっている。また出かけるのは億劫だったが、どっちみち拒めないだろうと思った。

「わかった」と答えたものの、どうやら口をひらくのがちょっと遅かったようだ。編集長が驚いたようにこちらを見ていたが、やがてその顔には疲れたような微笑が浮かび、驚いた表情は消えた。

上着を着こんだ。正面玄関を出るとき、視界の端に、ニットのスキー帽をかぶった例の「スポーツマン」がまだいるのをとらえた。

航空券売り場はすいていた。たった一人そこにいた客は、外見からしてアゼルバイジャン人のようだったが、飛行機の時刻表をしょげたような様子で調べている。

一二番窓口に行くと、髪を青っぽい灰色に染めてボリュームある髪型にした、四〇歳くらいの女性が担当だった。

「五〇三番の予約」ヴィクトルが言った。

「パスポートを」窓口の女性はこちらも見ずにそう言いながら、コンピュータのキーボードに予約番号を打ちこんだ。

途方にくれた。編集長はパスポートを持たせてくれなかったのだ。

「ああ!」窓口の女性が急に息を吐くように言った。「パスポートは要りません。ここにすべて揃ってました。相場で七五〇ドル分、もしくはキャッシュで八〇〇ドル、会計窓口にお支払いください」顔を見ずに片手で会計のほうを指した。

会計窓口で一〇〇ドル札を八枚出した。青い制服を着た若い女性が数えなおし、札が本物かどうか確かめるために器械にかけた。そうしてから、振りむいて、「ヴェーラ! 支払済み!」と叫んだ。

「一二番に行ってください」と今度はヴィクトルに言った。

一二番窓口で航空券を受けとり、中を開けると、「キエフ—ラルナカ—ローマ」と読めた。切符を折って、ジャンパーの内ポケットに入れる。

家に帰ったのは六時ごろだった。ニーナとソーニャはまだ帰っていない。編集長はあいかわらずキッチンに座っている。一〇分くらい前に自分でコーヒーを沸かしたらしく、すっかりくつろいでコーヒーを飲んでいる。

切符を受けとると、念入りにチェックしてから財布にしまった。

「だれも帰ってこなかった？」ヴィクトルが尋ねた。

「だれか待ってるの？」

「ベビーシッターがソーニャを連れて帰ることになってるんだ……」

「いや、だれも来なかったが……」編集長は何か考えこんでいるようだった。「できれば、そのベビーシッターに頼んで、その子を今日一晩自分のうちに預かってもらえるといいんだがな」編集長は諭すように頷き、自分の言ったことが大事なんだということをわからせようとした。

ニーナがソーニャを連れて戻ったのは六時半で、帰るなりすぐに、遅くなったことを謝りはじめた。

「ご心配おかけしました！」ニーナは廊下に立ったまま早口で言った。

「本当にすみません……。駅で時間を食ってしまって。セルゲイおじさんを見送りに行ってたんです……」

「いや、大丈夫」とヴィクトルは言った。「ニーナ、悪いけど今晩ソーニャをお宅に泊めてもらえないかな」

ニーナは驚いたようにこちらの顔を見た。ソーニャは自分でもう靴を脱いだところだったが、上着は着たまま、やはりこちらを振りむいた。でも、ソーニャのほうは、驚いたというより嬉しくてしようがないといった顔をしている。

「ええ、いいですけど……」ニーナはぽかんとしている。

「ちょっと待ってて」寝室に行って、一〇〇ドル取って戻る。

「これ、給料と迷惑料……」ニーナに札を差しだした。

「で、いつ戻ればいいですか」

「明日の……夜でいいかな……」

二人を見送って廊下で一人になると、溜め息が出た。リノリウムの床にブーツの跡があり、融けかけた雪が水溜りを作っている。トイレの雑巾を持ってきて床を拭き、それからキッチンに戻った。

「夜中の一時半まで付き合ってくれないか」編集長が穏やかに言った。「車が迎えに来ることになってる。疲れてて眠っちまいそうだ……。トランプある？」

時間はうんざりするほどゆっくり流れていった。外はもうだいぶ前から真っ暗で、街はすっかり寝静まっている。二人でトランプをした。ヴィクトルが負け、編集長はにこにこしながらゲームをし、ときどき目覚ましを見ている。立てつづけにタバコを吸うので、テーブルの左端に灰の山が積まれていく。それを指で均《なら》すので、まるで灰を「こねて」小さなピラミッドを作ろうとしているかのようだ。

きっかり一時半、正面玄関に車が来て止まった。編集長は外を覗き、それからゲームの清算をした。

「九五ドル、私の勝ち」そう言って薄笑いした。「そのうち取り返すんだな！」

立ちあがって、上着を着た。

「しばらくはのんびりしててくれ」そう言いながら、今にも出て行こうとした。「埃がおさまったら姿を現すから、そうしたらまた一緒に仕事しよう……」

「イーゴリ」ヴィクトルが押しとどめた。「で、俺の仕事はいったいどんな意味があるんだ」

編集長はこちらを見つめて目を細めた。

「聞かないほうが身のためだ」編集長は低い声で言った。「どうとでも都合のいいように考えておけばいいじゃないか。ただ、よく覚えておくんだな。仕事の意味を知ったら最後、お陀仏だ……。映画じゃない。知りすぎてお陀仏になるんじゃない。逆だよ。君の仕事も、ついでに君の命ももう必要ないって段になったら、そのときすべてわかる……」

編集長は哀しそうに微笑んだ。

「君によかれと思って言ってるんだ。わかってくれ！」

編集長がドアを開けると、すでにお馴染みの「スポーツマン」がドアのむこうに立っていた。

「スポーツマン」が編集長に頷き、二人は階段をおりていった。

ドアを閉めた。部屋があまりに静かで、胸が締めつけられそうだ。口に、タバコの煙の苦い味を感じ、唾を吐いてこの味を払いのけたかった。

キッチンに戻ると、もっとタバコの煙が充満していて、空気はすっかり淀んでいた。換気口を開ける。寒さが身にしみる。でも、ランプにほんのり照らされたタバコの煙は微動だにせず、換気口を開けたところで、空気は流れていかないようだ。窓際に置いてある書類をどかして窓を開ける。冷気がキッチンに入りこんで、その勢いで廊下に通じるドアがぱたんと閉まった。煙は散りはじめ、だんだん消えていった。寒くなったけれど、そのかわり空気が新鮮になった。体には感じられなかったが、編集長が残していった灰のピラミッドがテーブルの上で吹き散らされたところを見ると、風があったのだろう。灰は細かい塵になって、やがてテーブルから床に落ちた。しまいには、ピラミッドは跡形もなくなった。

キッチンのドアが開き、戸口にペンギンが現れた。冷たい風を感じてやってきたのか。近づいてきて、顔を上げ主人を見つめた。

ペンギンに微笑みかけた。それから、空気が透明になったかどうかもう一度確かめようとした。すると、キッチンのランプの光に突然、目を射られたので、電気を消して、暗闇の中にたたずんだ。

47

目覚めたのは午前一一時近くだった。寒くて目が覚めてしまった。跳ね起きてキッチンに走っていき、窓と換気口を閉めてから、急いで寝室に戻った。洋服を着たまま毛布をかけて横になっていると、少し体が温まってきた。また起きあがる。

熱いシャワーを浴び、濃いコーヒーを飲むと、だいぶ落ちついた。部屋の中も少しずつ暖かさが戻ってきた。昨日のことが思い起こされた。自分の書いた「死亡記事」が金庫の中で「決裁」になっていたことも、航空券を受け取った窓口のことも、深夜一時半までトランプをしていたことも思いだした。どれをとっても、昨日のことではなく、ずっと前のことのような気がする。何もかも、どこか遠く、はるか昔のことのようだ。すると、ふいにタバコの煙のかすかな臭《にお》いがどこからともなく漂ってきて、昨日起こったことがすべてまた過去から浮かびあがり、細かいことまでくっきり蘇った。

窓の外は静かで、ひどく寒そうだ。雪どけはまた冬に席を譲ったのだろう。

「何をしよう」熱いコーヒーの入ったカップを手にして考えた。

「仕事はないし、当分、入ってきそうにない。編集長はドロンを決めこんだ……。金なら当面足りるが、八〇〇ドル減った……。もう一度短編に取りかかるかな。それとも長編にしようか」

未来の小説のことでも考えて気をまぎらわそうと思ったが、急に空しさを感じた。小説はどれも、それこそはるか遠い過去のものだったから。あまりに遠くて、本当に自分の過去なのかと疑ってみたくなるほどだ。もしかしたら、本で読んで忘れていたことをふと思いだして、自分自身の体験のように思っているだけなんじゃなかろうか。

コーヒーを一口飲み、夜にはニーナがソーニャを連れて帰ることを思いだした。現実に戻ると、余計なことをあれこれ考えている暇はなかった。これからも生活は続いていくのだ。ソーニャの世話をする義理もあるし、ミーシャの面倒も見なければならない。その先はといえば、たぶん、新しい仕事を探すことになるだろう……。そしていつまでも独りぼっちだろう。

ふとニーナのことを思い浮かべた。昨日、彼女はなんて言ってたっけ？　駅に行ってたって。セルゲイを見送りに。ということは、セルゲイは、やっぱりモスクワに行ったのか。別れの挨拶もせずに行ってしまった。自分を取り巻く孤独という壁に、またひとつレンガが積まれたような気がする。それからまたニーナのことを思った。笑っているようないないようなニーナの顔、汚れた歯、美しい目。目は何色だったかな。ううん、目の色は覚えていない。

「なんでニーナのことを考えてるんだろう」また窓の外を見ようとすると、寒さが厳しくなったせいで窓ガラスに模様ができている。「もうすぐ四〇になるっていうのに、俺にはペンギンのミーシャが一番気のおけない存在だ……。ミーシャはただ他に行くあてがないから、ここにいるだけ。それに、そもそも思考能力がないだろうから、そんなこと考えもしないだろう。もう一人、ソーニャがいた。何もわかっていなくて、山ほど金を持っていて、これ、わたしのテレビってとなしく言ってるソーニャ。たしかにあの子のテレビだ。あの子とペンギンと俺の三人で、というよりニーナを入れて四人で散歩に出たら、だれか振りかえってなんて仲のいい家族だろうって思ったり言ったりするのかな」

ヴィクトルは寂しげに微笑んだ。いろいろ考えているうちに愉快なことを思いついたものだ。端《はた》から見たらやけにもっともらしくて、写真館に行って家族写真を撮ったらどうかと思うほどだ。

48

夕方の六時にニーナがソーニャを連れて帰ってきた。ニーナはすぐに帰ろうとしたが、引きとめて、一緒に夕食を食べて行ってくれないかと頼んだ。大急ぎでポテトを炒めた。

ソーニャは気まぐれを起こし、ほとんど何も食べずにキッチンを出ていってしまった。

ヴィクトルとニーナは二人だけでテーブルに残った。黙々と食べ、互いにちらちらと相手を盗み見た。

「セルゲイは長いこと帰ってこないの？」

「一年って言ってました。でも夏には二、三日帰って来るそうです……。お母さんがここにいるし……。私、買い物の手伝いをしてあげてるんです」

「お母さんって、だいぶお年なの？」

「いえ、でも足が弱いから……」

お茶を飲みおわると、ニーナはご馳走さまでしたと言い、明日また来ると約束して帰っていった。

ニーナを見送ってドアを閉め、客間に戻った。テレビがついていて、ソーニャがソファで眠っている。着替えずに寝てしまった。

「疲れたんだな」と思った。

洋服を脱がせ、毛布をかけてやる。テレビを消そうと思ってそちらに行くと、氷の山からおかしな格好で海に飛びこむペンギンたちの姿が画面に映っている。南極の動物たちについて、コメンテーターが低い声で話している。

ミーシャがどこにいるのか探してあちこち見回した。バルコニーのドアのところに立っている。そちらに行ってミーシャを抱きあげ、テレビの前におろした。

ミーシャが一声あげた。

「ご覧!」と囁いた。

ミーシャは仲間たちの姿を見て立ちすくみ、じっと画面を見つめている。

そのまま、飛びこんだり潜ったりするペンギンたちを五分ほど見ていると、番組は終わってしまった。ミーシャが急にテレビに近づき、胸でテレビを押そうとしたが、ミーシャが押せたのはテレビが載っている台のほうだった。もっとも、押し方が強いので、テレビまで揺れだしたのだが。

「何やってんだ!」声を抑えてそう言いながら、テレビを支えて、ペンギンのほうを振りかえった。「そんなことしちゃいけない!」

翌朝、病院から電話がかかってきた。

「親戚の方がお亡くなりになりました」落ちついた女性の声だ。

「いつですか?」

「昨晩です……。遺体を引き取りますか?」

答えようがなかった。

「埋葬なさいますか?」受話器からまた女性の声が聞こえた。

「はい……」今度はそう答えて溜め息をついた。

「葬儀の準備をする間、三日間なら霊安所にお預かりできます。引き取りにいらっしゃるときは身分証明書をお持ちください」

受話器を置いた。振りむくと、ソーニャはもう寝ていなかった。ソファで毛布にくるまって、眠たそうにこちらを見ている。

時計は八時半を指している。

「もう少し寝てていいよ」そう言って部屋を出た。

一〇時にニーナがやって来た。ちょっと風邪気味なので、今日はうちで過ごすという。

「学者の墓地、どこにあるか知らない？」

「バイコフじゃないかと思いますけど」

いつもよりたくさん着こんでバイコフ墓地に向かった。

墓地の管理事務所で話を聞いてくれたのは、太った中年の女性で、古い机に座っていた。赤いウールのカーディガンをはおり、分厚いレンズのメガネを手にしている。

部屋の真ん中にあるヒーターをよけて通り、その女性の前の椅子に腰かけた。女性はメガネをかけた。

「知り合いが亡くなりまして……」ヴィクトルは切りだした。「学者なんです……」

「わかりました」女性は静かに言った。「アカデミー会員ですか？」

「いいえ……」

「それじゃ、ここにご親戚が葬られていますか？」

「知りません……」

「ということは、新規で場所が必要だということですね」自分で頷きながら女性は言い、机に置いてあった雑記帳を開いて何か書きこみ、こちらに差しだした。

その雑記帳を自分のほうに引き寄せて、「一〇〇〇ドル」と書いてあるのを目にした。

「場所代です」女性は声を低めて言った。「これには、特別マイクロバスの代金や墓穴を掘る代金が含まれています……。いまは冬ですから、おわかりでしょう、土が凍りついてるんですよ」

「そうですね」

「故人のお名前は？」

「ピドパールィです」

「明日お金をお持ちください。明後日の一一時に埋葬です。まずここに立ち寄ってください。運転手に墓所の番号を言っておきますから……。ついでですが、記念碑をご注文になることもできますよ……」

49

翌日はこれまでの人生で一番大変な日だったような気がする。いや、葬儀の手続きで一日つぶさなければならなかったからというわけではない。エンマ・セルゲーエヴナ（バイコフ墓地で悲しみの儀式を担当する責任者）は、書類の一枚に、この日の日程をきちんと書いておいてくれた。それによると、一一時、オクチャーブリ病院の霊安所に、特別仕立ての六六一七番のマイクロバスが来る。それまでに死化粧を施し（追加一〇〇ドル）、出棺の準備をしておく。故人の私服で死装束を整え、「高価ではないが上質な松の棺で」出棺という手筈だった。金を払ったことで、つまらない雑事に関わらなくてすんだが、重苦しい気分まで晴らすことはできない。家に帰りたくなかった――家にはニーナとソーニャがいる。出がけに、友達が死んだ、と言っておいた。ニーナはよくわかってくれ、お帰りになるまで待ってます、と言ってくれた。

それなのに家に帰りたくないのだ。ポドルに行ってバー「バフス」が閉まるまで粘り、赤ワインを三杯飲んだ。暖かいバーを出てから、ポドルをぶらついているうち、凍えそうになった。

家に帰ったのは九時ごろだった。

「スープを作っておきました。温めましょうか？」ニーナがこちらの目を覗きこんで言った。

夕食を終えてから、帰らないでほしい、と頼み、ニーナは帰らなかった。

ソーニャは客間で眠っている。ヴィクトルは寝室でニーナを抱き寄せた。二人で横になって二枚の毛布にくるまったが、まだ寒い。ニーナに体を寄せると初めて暖かさを感じた。でも自分を見つめる彼女の目に哀れみが浮かんでいるのを見て、ヴィクトルはむしゃくしゃした。痛い思いをさせてやりたいと思い、いっそう強く、ニーナの肋骨を感じるほど強く抱きしめた。それでもニーナは黙って、哀れみを浮かべて見つめるばかりだ。両手を自分の背に感じる。彼女も彼女なりにヴィクトルを抱いているのだが、どこか従順で力なく、抱いているというより相手につかまっているだけといった感じだった。ニーナは最後まで従順で、話もせず、声も立てなかった。ヴィクトルはずっと、なんとか痛くしてやろう、叫ばせるか、やめてと言わせてやろうとしたのだが、すぐに疲れてしまい、とうとう一言も声をあげさせることができなかった。また横になって今度はそっと抱いた。目を閉じていたが、眠ってはいなかった。ニーナの目に哀れみの影を見たくない。それに今は自分が恥ずかしかった。意地悪でいらだっていたことも、乱暴だったことも恥ずかしかった。それでもいつのまにか寝入ったが、ニーナのほうは長いこと目を開けたままじっとしており、何か考えながら彼を見ていた。もしかしたら忍耐について考えていたのかもしれない。

翌朝目を覚ますと、ニーナは隣にいなかった。帰ってしまって、もう二度と来ないのではないかと思ってぎくっとした。起きあがり、ガウンを着て客間を覗いた。

ソーニャはまだ眠っている。キッチンで何かガチャガチャいう音がする。そちらに行くとニーナがいた。服を着て、レンジの前にいる。米の粥《カーシャ》を煮ているところだった。何か言葉をかけたいと思った。謝ろうか。ニーナが振りむいてこちらに頷いたので、近づいて彼女を優しく抱いた。

「ごめんよ」と囁いた。

ニーナは、爪先立ちして唇にキスしてから、聞いた。

「何時に出かけるの？」

「一〇時……」

50

特別仕立てのマイクロバスは道々、容赦なく揺れた。運転手は少しゆっくり運転しようとするのだが、先を急ごうとする外国車がうしろからひっきりなしにクラクションをブーブー鳴らしてくるので、ぎょっとしたような目でバックミラーを見るのだった。

前の座席に知的な様子の小男が二人座っていた。一人は短い羊の毛皮コート、もう一人は黒い革ジャンパーを着ている。二人とも五〇歳前後だ。片方が化粧係で、もう片方が進行係だそうだが、どちらがどちらか、わからない。二人同時に現れ、霊安所で看護士たちを手伝って棺を運びだし、うしろのドアからバスに乗せた。

　ヴィクトルは後部座席に座り、ミーシャを抱いて、落ちないよう支えてやった。横の通路には、釘を打って赤と黒の布をかぶせた棺があり、道を曲がるたびにめりめり音をたてている。

　ときどき前部座席の男たちが、興味津々といったまなざしでうしろを見るのに気がついたが、もちろん、男たちの興味を引いているのはヴィクトルではなく、ミーシャだった。

　バイコフ墓地に着き、管理事務所のそばで停車。運転手が、墓所の番号を聞きにバスを降りたので、その間にヴィクトルは、近くに立っているおばあさんから大きな花束を買って、バスに戻った。

　墓地の中の並木道は思ったよりずっと長く続いている。記念碑や囲いのある墓所のそばを延々と通りすぎていくのも、すっかり飽きてしまった。

　ようやくバスが止まった。

　出口のほうへ行こうと立ちあがると、

「まだ着いてないよ！」透明の仕切り板のむこうでうしろを振りむいた運転手に言われた。

「見ろ、見てみろよ、ずいぶん多いぞ！　傷つけないようにしないと！」進行方向の前のほうを眺めながら小男の一人が言った。

　ヴィクトルも立って、フロントガラスから同じく前方を見た。並木道の右側にびっしり外国車が止まっており、左側の空いている部分はバスが通り抜けるにはちょっと狭そうに見える。

「迂回したほうがよさそうだ」運転手が言った。「触らぬ神にたたりなし」

バスはバックして、別の並木道のほうに曲がった。そして五分もすると、掘り返された墓穴のそばに止まった。その脇には、茶色い粘土質の土が山になっている。そばに汚いシャベルがふたつころがっていた。

バスを降りた。まわりを見回すと、一五メートルほど離れたところに人が集まっている。バスの反対側から、綿入りズボンに綿入り上着を着た墓地作業員が二人近づいてきた。二人とも痩せている。

「それで、学者さんをお連れしたかい」片方が聞いた。

「出そう!」もう片方が頷きながら言った。

作業員たちは墓のそばの土の上に棺をおろした。一人がぐるぐる巻いた太いロープを取りだして、棺にかけた。

ヴィクトルはバスに戻り、ミーシャを両手に抱きかかえて出てきた。自分の横におろす。作業員の一人が唇を曲げ、横目でペンギンを見たが、すぐに仕事に戻った。

「なんでこんなにしょぼくれてるんだ」もう一人が運転手に聞いた。「音楽もなしかよ」

運転手は相手を制して黙らせ、ヴィクトルのほうを目で示した。

作業員たちは棺を墓穴におろし、ペンギンを抱いた男のほうを振り返った。

ヴィクトルは墓穴のふちに行って屈み、花束を棺のふたの上に投げおろした。それから土を一摑み取って、同じく投げた。

作業員たちがシャベルで仕事を始め、一〇分かそこらでいかにも墓らしく仕上げた。しばらくすると、そこにはヴィクトルとミーシャだけになっていた。作業員たちは、それぞれルーブル札をたっぷりもらい、別れしな、五月に「墓が沈む」ときにはまたぜひ俺たちに仕事をさせてくれ、と言って帰っていった。他の者はバスで帰った。運転手が、出入り口まで連れていってやろうと言ってくれたが、断った。

ミーシャは、何か考えこんでいるかのように、墓のそばでじっとしている。ヴィクトルは近くでおこなわれている葬儀にときどき目を向けた。うるさいのが耳障りで、ちょっといらいらさせられる。

「おかしなもんだ」と考えた。「気がついたら、爺さんの最期を看取るたった一人の人間ってことになってたなんて。友達や親戚はどこにいるんだろう。それとも人生の途中で見失って、最期には独りぼっちだったんだろうか？　たぶん、そうなんだろう。もし俺がペンギンに興味を持たなかったら、今頃だれがあの爺さんを葬ってたのかな。だれが、どこで？」

寒さで頬がひりひり痛んできた。手袋をはめていない手もかじかんでいる。もう一度振りかえった。出口までどうやってたどり着けるのか見当もつかなかったが、それはあまり心配していなかった。

「ほらね、ミーシャ」溜め息をつき、ペンギンのほうに屈みこんで言った。「こうやって人間は死んだ者を土に埋めるんだよ……」

ペンギンは主人の声を聞いて振りむき、哀しみをたたえた小さな目で見つめた。

「さてと、出口を探しに行こうか」自分で自分にそう言い、さっきよりきっぱりした態度でまわりを見回すと、近くで葬儀をしていたところから、こちらに向かって歩いてくる男の姿が目に入った。

男が手を振っている。その場で待つことにした――まわりにはだれもいないから、自分のほうに歩いてくるのはたしかだ。

やって来たのは、小柄で髭を生やした男で、「アラスカ」というジャンパーを着て、胸に双眼鏡を下げている。

「葬儀にしては変な格好だな」と思い、知り合いの顔かどうか、じっと見つめた。

「すまない。このあたりをチェックしてたら」髭男は、双眼鏡に触れながら言った。「どうも見たことのある動物がいるじゃないか！　それで行ってみようと思ってね。ほら、警察の別荘地で正月、一緒だったじゃないか」

ヴィクトルは思いだして頷いた。

「リョーシャだ」髭はそう言って片手を差しだした。

「ヴィクトルだ」

二人は握手した。

「友達なの？」リョーシャはできたばかりの墓を顎で指して言った。

「ああ」

「こっちは三人だぜ……」リョーシャは哀しげに言って、溜め息をついた。

それからミーシャの前にしゃがんで、肩のあたりをぽんと叩いた。

「よお、調子はどう？」そう聞いてから、顔を上げた。「ねえ、こいつ、なんて名前だっけ」

「ミーシャ」

「ああ、そうそう、ミーシャ！　背広を着た動物ってとこだな……。色男！」

リョーシャは立ちあがり、自分の関係している葬儀のほうを振りかえった。

「どこに出口があるか知らない？」ヴィクトルが尋ねた。

リョーシャはあちこち見回した。

「いや、まったくわからない……。急いでないんなら、少し待っててくれ、車で送るよ。あっちも、そろそろ終わるから……」

二〇分ほどすると、葬儀の人だかりに動きが見られ、集まっていた人たちが散りだした。何台も止まっていた外国車がエンジンをかけはじめた。目を凝らして、髭のリョーシャの視線に合わないかとキョロキョロ探したが、双眼鏡もない上、凍りつきそうな冷たい風が吹いてきて目が潤んでいる。ようやくだれかが手を振っているのに気づいた。

「さあ、ミーシャ、行こう！」ヴィクトルは、数歩踏みだしてから、ペンギンのほうを振りかえって言った。ペンギンも待ちかねたようにあとについてきた。

花輪を供えたばかりの三つの墓にたどり着いたときには、そのあたりの並木道にはもう車は一台しかなくなっていた。その最後の一台は古いメルセデスだった。

「なんなら、家まで送ろうか」車がまだ墓地を出ないうちにリョーシャが言ってくれた。「追善供養の席に一番乗りするのは気がひけるからな……」

喜んで申し出を受け、三〇分後にはもう自分のアパートの正面玄関に着いていた。

「俺の電話番号だ、持っててくれ、また会うこともあるかもしれない」リョーシャは、そういいながら名刺を差しだした。「あんたのも書いてくれ、念のため……」

リョーシャの名刺をポケットにしまい、前部のパネル部分に括りつけられた自動車用メモに、自分の電話番号を書いた。

51

夜が近づき、ニーナが帰り支度をしている。

「いてくれない？」とニーナに頼む。「追善供養の真似事でもしよう……」

ニーナは頷いた。ヴィクトルは見るからに疲れていた。その言葉やまなざしからして、自信をなくしていることが感じられる。

「ソーニャと一緒にいて。私が何か考えるから」とニーナは言った。

ヴィクトルは、ソーニャがテレビを見ている客間に行き、ニーナはキッチンに行った。

「今日は何やってるの？」ソーニャの隣に座って話しかけた。

「『エルヴィラ』のシリーズ五だよ」少女はきびきび答えた。

ポケットからハンカチを取りだして、ソーニャの鼻水を拭いてやった。

テレビ画面ではコマーシャルが長く続いている。まるで万華鏡のように、次々と現れては消えていく。刺激の強いコマーシャルで目を傷めないよう床に目を落とした。ソーニャは面白がって食い入るように見ている。

ようやくコマーシャルのめまぐるしいリレーがやみ、シリーズのタイトルが出て、甘くロマンティックで滅入るような音楽が画面から流れだした。

「眠くないの？」

「ううん」テレビから目をそらさずにソーニャは答えた。「おじさん、どうしたの、ねむいの？」

ヴィクトルは答えなかった。ラテン・アメリカのソープオペラは、登場人物たちがあまりに甘ったるくて、腹が立ってくる。画面で起こっていることにのめりこみたくなかったので、振りかえって目でミーシャの姿を探したが、客間にはいなかった。寝室に行き、そこで見つけた。モスグリーンのソファのむこう側、自分の寝床に立っている。まるで彫刻のように身動きひとつしない。近くまで行ってしゃがみこんだ。

「どうした？」黒い背中に触って言った。

ミーシャは主人の目を見て、それから首を下げ、床を見つめた。

ピドパールィのことを思った。髭を剃ってやったことを思いだした。かならずやるって約束してくれ、と頼まれたことも思いだした。すぐに自分の内からこの思い出を追いやったが、それでも背中に悪寒が走る。

「きっと今日、墓地ですっかり凍えきったせいだろう」と悪寒がおさまってから思った。

そしてふたたび老いたペンギン学者のことを思った。あんなに心安らかに、気取りもなく、迫り来る死を迎えられるなんて。「私にはやり残したことはない」──記憶をたぐりよせているうちにピドパールィの言葉が浮かびあがってきた。その言葉に驚いて首を振った。ペンギンがぎょっとしたようにぱっと一歩跳びのいて、主人の顔を見た。

「俺にもやり残したことはない」そう思ったが、すぐに自分自身の考えがまやかしだと感じて、一人で苦笑いした。

いや、「やり残したこと」はあるが、もしなかったとしても、近づいてくる死を、あんなふうに心安らかに受け止めることはできないだろう。「つらい生のほうが楽な死よりましだ」と、いつだったか手帳に書いたことがあり、その後長らくこの文章を自慢げに、ぴたりとあてはまるときも、場違いなときも、口にしてきたものだ。その後、どういうわけか忘れてしまっていたのに、何年も経った今になって、心を揺さぶられる老人の言葉につられて、記憶の中からよみがえってきた。二人の人間、異なる年齢、異なる人生観……。

ミーシャは、自分のかたわらでしゃがんだまま考えこんでいる主人を観察していたが、やがて近づいて冷たい嘴で首筋をつついた。びくっとした。ペンギンの冷たくも優しい感触で考えを断ち切られ、我に返った。ミーシャを撫で、溜め息をついて立ちあがり、窓のほうに行った。

外は真っ暗だったが、向かいの建物の窓はところどころ明かりがついていて、クロスワードパズルのようだ。その中にはたくさんの言葉がある。明かりのついている窓は日常生活が営まれている証しだ。哀しかった。でも静けさが哀しみを和らげ、おさえてくれる。やがて、気分もだんだん落ちついてきた。奇妙でどこか病的な安らぎで、嵐の前の静けさにも似ている。冷たい窓辺に手のひらを載せ、両足は暖かいラジエーターにつけて立ち、一時的なものだとは知りつつ、この安らぎを味わった。

しばらくして背に柔らかい息づかいが聞こえ、振りむくと、薄暗い部屋の中にニーナがいた。

「用意できたわ」ニーナは低い声で言った。「ソーニャはテレビの前で寝ちゃった……」

二人は客間を抜けた。隅に置いてあるフロアスタンドがぼんやり光っている。

キッチンに行くと、炒めたニンニクとポテトのいい匂いがした。テーブルの真ん中には、台の上にふたをしたフライパンが載っている。

「ここにウォッカがあるのを見つけたんだけど……」ニーナは恐る恐るそう言って、吊り戸棚のほうを目で示した。「出しましょうか?」

ヴィクトルは頷いた。ニーナはウォッカとグラスをふたつ取りだした。それからそれぞれの皿に炒めたポテトと肉をよそい、それぞれのグラスに酒を注いだ。

ヴィクトルは自分の席についた。ニーナは向かい側に座った。

「葬儀はどうだったの?」グラスを手にしてニーナが聞いた。

肩をすくめる。

「静かなもんだった。僕とミーシャ以外だれもいなくて」

「じゃ、安息のために乾杯!」ニーナはグラスを上げてから、それを口に持っていった。

ヴィクトルも一口飲んだ。フォークに肉を一切れ刺して、ニーナの顔を見た。酔ってほんのり頬を染め、そのせいで丸い顔がいっそう魅力的に見えた。

突然、ニーナのことを何もきちんと知らないことに気づいた。いったいどこの、どういう子なんだろう。たしかに、セルゲイの姪だということはわかっているけれど、そのセルゲイにしたところで、すぐに親しくなったものの、あまりよくは知らない。ただ、どうして苗字がユダヤ系なのか、その「由来」を聞いただけですっかり好意を抱いてしまった。ある人の一面に感心するとその人を全面的に信用するようになることがあるが、苗字をめぐる話を聞いたとたん、セルゲイを「信用できる友達」のレベルに持ちあげた。まるで目に見えない台座にセルゲイを立たせるかのように。

今度はヴィクトルが二人のグラスに酒を注ぎ、自分から先に口をつけた。

「よく知ってる人だったの？」とニーナ。

ヴィクトルはまず酒を飲みほした。

「まあね……」

「どういう人？」

「学者で……動物園で働いてた」

ニーナは頷いたが、顔を見れば、故人に対してはとくにそれ以上の興味はないということが知れた。

二人は飲みながら食事をした。こういう場合にふさわしいように、グラスを合わせずに飲んだ。それからニーナが汚れた皿を流しに片付けて、ヤカンを火にかけた。彼女は、湯が沸くまで窓の外を見ていた。痛みを感じているみたいに唇を歪めて。

「どうしたの？」

「この町、我慢できないの……。知らない人ばかりで……ギャップがあって」

「どうして？」ヴィクトルは驚いた。

ニーナはジーンズのポケットに両手を入れて、肩をすくめた。

「母が馬鹿なのよ。何もかも捨ててここに移ってきたりして……。私だったら絶対こんなところには来ない！　自分の家や庭があって全部自分のものっていうのが最高なのに……」

ヴィクトルは溜め息をついた。この町で生まれ、田舎に対してとくにどうという気持ちは持っていない。

ヤカンの湯が沸いた。

二人はまた向かいあって座った。静けさが二人を隔て、互いに自分のことを考えていた。眠くなってきた。椅子から立ちあがったが、自分の足があまりに重いので驚いた。

「寝るよ……」

「行ってて。お皿、洗うから」

寝室に行って毛布にくるまると、すぐに寝入ってしまった。深夜、暑くなって目が覚めた。目を覚まし、他人の体、隣で寝ているニーナの体を感じた。ニーナはこちらに背を向けて寝ている。

その肩にそっと片手を置いて、また寝入った。まるで何かが疑問を吹き払ってくれたように感じ、ニーナの肩に載せた手が、二人の間だけに生きた暖かさを通わせているような気がして、気持ちよく眠ることができた。この暖かさを感じてもう目が覚めることはなかった。自分自身の大切な一部だったから。

52

そしてまた朝がやってきた。目が覚めると、頭が重かった。隣にニーナはいない。時計を見ると八時半だ。

まだ眠っているソーニャの横を通りすぎてキッチンに行く。バスルームからシャワーを使う音が聞こえ、しばらくその音に耳を澄ます。

自分でコーヒーを淹れることにして、レンジのほうに行ったとき、テーブルの上に封筒が置いてあるのにふと気づいた。手にとってみると、封筒は糊付けされており、差出人の名はない。封を切って、中から折りたたんだ紙と、八〇〇ドル分の札を取りだした。

借りを返す。ありがとう。事態は修復に向かっている。じき戻る。イーゴリ

ドル札を手にしたまま、手紙をテーブルに置いた。

バスルームを覗くと、ニーナがシャワーを浴びている。湯が体を伝い、その滑らかな線をきわだたせている。ニーナはきまり悪がりもせず、戸口に立ちすくんでいるヴィクトルを驚いたように見つめた。

「だれかうちに来た?」

「いいえ」ニーナは、ヴィクトルの手に握りしめられている札を見ながら答えた。

「じゃあ、キッチンの手紙は? テーブルの上の」

「私、まだキッチンに行ってないけど……」ニーナが肩をすくめると、リンゴのような小さな胸がぷるんと震えた。

バスルームのドアを閉め、廊下にたたずむ。シャワーの音で気が散るが、なんとか集中して考えようと思った。昨日の夜のことを思いだした——すべて記憶している。ニーナがテーブルで言

ったことまですべて覚えているような気がする。その後は寝たんだった。朝気がつくと、だれか来た気配がある……。いや、踏み荒らされてはいないが、だれかの来た形跡がある……。

そこまで考えて廊下の電気をつけ、床を調べてみた。もしかしたら、夜の訪問客の痕跡を見つけることができるのではないかと思ったのだ。でも床はどこも汚れていない。

キッチンに戻り、コーヒーを淹れてテーブルについた。正月になる少し前、ミーシャのメモとプレゼントを見つけたときのことを思いだした。あのときとまったく同じようなことが起こったのだ——だれかが夜中に入りこんで置いていった。違いといえば、今回は編集長の手紙を置いていったということ……。「事態は修復に向かっている……」と編集長は書いている。ということは、もうすぐ仕事を再開できるということか。もうすぐ編集長に会えるということか。会ったら、いったい鍵を持ってる郵便屋なんているのかって問いただしてやろう。

「鍵か……」と考えた。立ちあがり、廊下に出て玄関ドアを調べたが、閉まっている。キッチンに戻る。

鍵を取り替えようと思いたって、少し気が楽になった。今ついているのはずいぶん前に買った鍵で、同じようなものがたくさん出回っている代物だ。そろそろ信号つきの鍵とか、暗証コードつきの鍵とか、電子装置のついた鍵を買ってもよかったんだ……。特別な仕掛けの鍵をふたつ買って、部屋にもつけたら、プライヴァシーや眠りがしっかり守られるはずだ……。

安心して、ニーナの分のコーヒーを淹れ、廊下のほうに持って出ようとすると、ドアのあたりでニーナと鉢合わせになった。ヴィクトルのガウンを着ている。

「ちょうど君にコーヒーを淹れたところ」

「ありがとう」ニーナはにっこり微笑んでそう言い、カップを手にしてテーブルに腰をおろした。

「ねえ」半ば真剣で、半ば諦めているといった目をしている。「言っておきたかったんだけど……」言葉を選んでいるのか、言いよどんだ。「私たちのこと……。こういうことになっちゃって……」

そして口をつぐんだ。

「何が言いたいの？」話が途切れたことが、ヴィクトルにはちょっと気に障った。

「……お給料のことなんだけど……」やっとニーナは先を続けた。「ソーニャの面倒を見て、お金をもらうのが、私にはとっても大事なの……」

「もちろん、これからもそうだよ。なんでそんなこと考えたの？」

ニーナは肩をすくめた。

「あのね、なんだかしっくりこないの。だって、あなたとこんなふうになったのに……。それでいて、あなたのとこで働いてるって……」

ヴィクトルはまた頭が重いのを感じた。一杯目のコーヒーを飲んでついさっき消えたばかりの重苦しさ。

「何の問題もないよ」ニーナにはそう言ったが、もうその顔に笑みはなかった。「心配しなくていい……。君に金を払っているのは俺じゃない。これはソーニャの金、というかソーニャの親父さんの金なんだ」

ニーナ自身もこのやり取りで気まずい思いをしたようだ。目の前のテーブル、コーヒーカップを見つめている。

「安心して。大丈夫だから……」立ちあがってニーナのほうに行き、濡れた髪を撫でた。「今日は遅くなる。だれか来ても絶対ドアを開けちゃダメだよ。これは前金……」緑色の札を二枚ニーナの前に置いてキッチンを出た。

53

少し外をぶらついてから、地下鉄に乗ってスヴャトシノに行った。思いがけない雪どけが何度か続いたあと、二月はまた寒さがきびしくなった。太陽は輝き、足元の雪はきらめいているが、なめし革のショートコートのポケットに入れた手はかじかんでいた。右の手のひらは、ひんやりした鍵束をぎゅっと握りしめている。

地下鉄の駅から、ピドパールィの住んでいたアパートまで、今回は一〇分くらいで行った——きっと寒くて早足になったのだろう。ドアの前でぐずぐずしたりせず、すばやく中に入った。廊下で足をとんとん踏みならして雪を振るい落とした。台所に行くと、きれいに片付いていたが、空気が湿っていて同時に濁ってむっとするので、たちまち、ヴィクトルの呼んだ救急車でピドパールィがここから運ばれていった日のことを思いだした。運ばれていって、二度と戻ってこなかった。

その空気に鼻をくすぐられ、くしゃみをした。

「家で死んだほうがよかったかもしれないな」と思いながら、台所の古い家具や、止まったままの壁掛け時計や、窓際に置かれたテラコッタ製の灰皿を眺めた。老人が忘れていたのか、それとも大事にとっておいたのかはわからないが、灰皿は一度も使われたことがないようだ。

部屋に入ると、大きな丸テーブルのまわりには、以前と同じく古い椅子が並んでいる。天井の真ん中から、半透明のシェードを五つつけたシャンデリアが下がっている。部屋のドアと向かいあった位置にタンスがあり、その上に書棚が三つ壁際に積まれている。写真や新聞の切り抜きが本の背表紙を隠すほどある。壁にも額におさめられた写真がかけてある――それらを見ると、過去の息吹が感じられる。調度品全体が、今とは違う時代のものだ。

祖母の部屋を思いだす。祖母は、両親が離婚して別居した後、ヴィクトルを引きとって育ててくれた人だ。タラーソフ通りの古い建物にあった祖母の部屋も、やはりどこか古風だったが、当時はそんなことは考えもしなかった。あの部屋にもタンスがあったけれど、これより少し小さめだった。タンスの上には、ガラス戸のついた食器棚が置いてあって、祖母はそこに自慢の品――陶器の花瓶――を飾っていた。業績優秀のため表彰されたときに職場でもらったものだ。花瓶は五つか六つあって、ひとつひとつに祖母の名前と父称の頭文字、苗字、日付け、短い受賞理由が、金のインクできちんと書いてあった。祖母の部屋にも、ピドパールィのこの部屋と同じく、額に入った写真があったっけ――同じ時代、同じ近過去、とはいえかなり昔、消滅した国の過去だが。

タンスのそばに行った。本の背表紙を隠している写真にはピドパールィが写っている。ヤシの木を背景にだれか女性と写っているピドパールィ。下のほうに、「一九七六年夏、ヤルタ」と書いてある。じっと見ていると、彼は四〇から四五歳くらい、巻き毛の女性も同じくらいのように見える。もう一枚の写真には、一人でプールの端に立っているピドパールィと、水から頭を上げているイルカが写っている。下に「バトゥーミ、一九八一年夏」と添え書きがしてある。

過去というのは日付けを信じるものだ。それに、どの人の人生もいろいろな日付けから成り立っていて、それが人生にリズムや節目を与えている。日付けという高みに立ってうしろを振りかえると、眼下に過去そのものが広がっているような気がする。それは、さまざまな出来事のあった断面や部分に分けられた、わかりやすい過去だ。

ピドパールィのこのアパートにいると、あたりに本の湿気が感じられるが（一階のせいだろう）、それにもかかわらず居心地がよくてほっとする。催眠術にかけられたみたいに、色褪せた壁紙や、埃まみれのシャンデリア・シェードや、おびただしい写真にうっとりしてしまう。

テーブルにつくと、また祖母のことを思いだした。ひなたぼっこしようと腰掛けを持って外に行く、かなり年とってからの祖母の姿。「体が麻痺して寝たきりになりませんように。そうなったらお前の一生を台無しにしちまう。嫁さんだってもらえないよ！」と祖母は言っていた。あのときヴィクトルは笑いとばしたが、祖母は、とても耄碌していたのに、近所の人たちにアパートの仲買人の電話番号を聞き出すと、数ヵ月後には、孫に新築の二部屋あるアパートを確保してくれ、自分はフルシチョフ時代に建てられたアパートの一階に引っ越した。そして、そこでそっと、だれにも気づかれずに亡くなった。葬儀をしてくれたのは社会保障局で、近所の人たちが三ルーブルずつ出しあって、花輪を調達してくれた。そういうことを知ったのは、その半年後に軍隊から戻ってきたときだった。

お茶が飲みたくなって台所に行った。外はもう暗くなりかけている。台所の電気をつけると、古い冷蔵庫がぐわんぐわん音を立てはじめた。驚いて冷蔵庫を開けて中を覗く。緑色に変色したソーセージと、ふたが開いていてどろどろになった牛乳があった。牛乳瓶を出す。食器ダンスにお茶の包みを見つけ、お湯を沸かして淹れる。

心地よさを感じていたが、しょせんは他人の心地よさ、やがて不安が入り混じった。お茶を飲んでから、牛乳で口直しする。日がたって固まりかけている濃厚な牛乳だった。軒下を通る人たちの話し声や、車の走りすぎる音が、外から聞こえてくる。

なぜか喉がいがらっぽいので、二杯目のお茶を注いだ。飲みおえて、部屋に戻り、そこの電気もつける。それから、びっしり書棚の置いてある書斎を覗き、机のほうに行って卓上ランプをつけた。このランプも時代物で、支える部分は大理石だ。黒い革を張ってある椅子に座る。

机の上にはノートや手帳が数冊置いてある。ランプのそばに厚い日記があるのに気づき、手に取ってぱらぱらめくると、いかにも急いで書いたといったふうの細かい字が目に飛びこみ、紙の栞があちこちに挟んである。日記はひとりでに、新聞の切抜きで作った栞のページを開いた。おもわずランプの近くに体を寄せた。それは、イギリスがウクライナに南極の基地を贈呈したというニュースの切抜きだった。最後に、スポンサーになってくれるよう読者に援助を呼びかけている。援助金がなければ、ウクライナの学者を南極に送りこむことができないという。そこには、問い合わせ先の電話番号と、スポンサーとして援助する際の銀行口座が記されていた。

「どうしてウクライナに南極が必要なんだろう」と思い、肩をすくめた。

同じページに、郵便為替の領収書が挟んであるのに気がついた。顔を寄せてそれを見て、愕然としてしまった——ピドパールィは、この「南極」口座に、五〇〇万ルーブル送っていたのである。貯金をすべてつぎこんだのだろう……。

領収書と新聞の切抜きを机の上に置き、老人の書いたものをじっくり見てみたが、判読できたのは、せいぜい単語くらいだった――ピドパールィの字は、まるで考えたことを暗号化しているのではないかと思うほどで、素人にはまったく意味がわからない。

また不安を覚えた。何かわけのわからないもの、説明できないものに触れたように、指先がむずむずしてきた。

老人と約束したことを覚えていた。覚えてはいるが、今そのことを考えたくない。深く考えずにここにやって来てしまったが、あの約束があったからこそ来たことは間違いない。そう、寒いのでポケットに入れていた手に冷たい鍵を握りしめ、羅針盤に導かれるように、その鍵に導かれてきたのだ。

そして今、もはやだれのものでもなくなった書類や物に囲まれて座っている。それはまぎれもなくひとつの世界だったが、そこにはもう、創造主、所有者がいなくなってしまった。老人は、部外者がこの世界に手をつけるのが嫌だったのだ。三〇年か四〇年くらい時代に遅れているが小さくて居心地のいいこの世界が崩壊するところを、だれかに見届けてもらいたかったのだろう。

深い溜め息をついた。ふと記念に何かもらっておこうと思いつき、机の引きだしを開け、タンスの戸を開けて、何か自分のためにとっておくものはないか探した。とっておくというよりは、救い出すといってもいい。でもこの小さな世界がじっと動かず自己完結しているので、思いとどまった。座ったまま、新聞の切抜きや郵便の領収書、日記その他のノートを眺めた。

街のざわめきはやんだ。外の静けさが部屋の静けさとひとつに溶けあい、その静けさのおかげで逆に、我に返った。新聞の切抜きをコートのポケットにしまう。

書斎の壁にくまなく目を走らせたが、それ以上何も手を触れなかった。台所に行って、ガスレンジからマッチをとってくる。廊下の戸棚にしまってあったアセトンの瓶を見つけて、書斎に戻り、何も考えないようにしながら、書棚の下段に入れてある本や、机の下に置いてある古新聞の束に、アセトンを振り撒いた。それから、この古新聞の束の半分くらいを隣の部屋に持っていって、食卓の下に置いた。そこに、お茶の染みのついている白いテーブルクロスをかぶせる。そして、新聞でも何でも燃えそうなものにマッチの火をつけながら、そこらじゅうを歩きまわった。すでに書斎でも隣の部屋でも、炎がしゅうしゅう音を立てていたが、まだ弱々しくて、命運の尽きたこの世界にめらめらと激しく襲いかかるというほどではない。タンスを開けてシーツや枕カバーやタオルの類を見つけ、残らず火にくべた。廊下にかかっていたピドパールィのレインコートも火に投げこんだ。

黒い煤が舞いたち、空気が熱くなってゆっくりと部屋じゅうを巡りだし、煙と火の粉が充満してきた。廊下まであとずさりした。

火のぱちぱちいう音がますます大きくなってきた。炎はすでにテーブルの上板を突き抜け、脚を舐めている。

部屋の鍵をポケットに探りあてて玄関に行ったが、急いで引き返して部屋の電気を消した。たちまち火は赤黒さを帯びて、美しく恐ろしくなった。

玄関を出て、ドアに鍵をかける。

外に出てからアパートを一周し、老人の部屋の向かい側で立ち止まり、火の手が今にも天井に届きそうな様子を眺めた。視線を上、二階に向けた。電気がついていないところを見ると、住んでいる人は寝ているか、まだ帰っていないのだろう。

もう一度、火の燃えあがっている窓を見る。

「これでよし」と思った。「約束は果たした……」

指はぶるぶる震え、背中に寒気を感じた。

あたりを見回し、隣の建物の角に公衆電話があるのを見つけ、電話して消防車を要請した。ガラスの割れる音。火が外へ出るのに突破口を開けたのだろう。女の人の叫び声。五分もすると、消防車のサイレンが近づいてくるのが聞こえてきた。消防車が二台来て、消防士たちが慌しく立ち働き、ホースをほどいたり互いに呼び交わしたりしはじめたのを機に、これが見納めと、運命の炎をもう一度だけ眺めて、慌てずに地下鉄の駅に向かった。

舌には煙の味がしている。粉雪が顔に降りかかり、溶けるまもなくすぐさまどこかに吹き飛んでいく――冷たい風が吹いて、雪は地面に行き着いた。

54

「あなたの髪、薪の匂いがする」とニーナが眠そうにつぶやいた。起こさないよう気をつけたつもりだったが、布団に入ろうとして起こしてしまったのだ。

ぼそぼそとそれに答え、ニーナに背を向けると、どうしようもなく疲れて、すぐに寝てしまった。

目が覚めたのは翌朝の一〇時ごろだった。そばでソーニャがペンギンと話している声が聞こえ、そちらに体を向けた。

「ソーニャ、ニーナはどこ？」

「でかけたよ」少女は振りむいて言った。「いっしょにあさごはんたべて、それからでかけたの。たべるもの、のこしといてあげた」

食卓には、ゆで卵二個と、塩入れの重石を置いたメモがあった。

おはよう。起こしたくなかったの。今日はセルゲイのお母さんの家事を手伝うことになっています。買い物と洗濯。終わったらすぐに帰りますね。キスします。　ニーナ

両手でメモを丸め、ゆで卵に触った――冷めてしまっている。お茶を淹れて朝食にした。

寝室に戻って、ソーニャに聞いた。

「ミーシャにエサやった？」

ソーニャが振りむいた。

「うん、きょうは、おさかな二ひき、たべた。なのに、なんだか、つまんなそう！　ヴィクトルおじさん、なんでミーシャ、こんなにつまんなそうなの？」

ヴィクトルはソファに腰かけ、肩をすくめて言った。

「わかんない。楽しそうなペンギンって、アニメの中にしかいないんじゃないかな……」

「でも、アニメじゃ、どんなどうぶつもたのしそうだよ」ソーニャは小さな手を振って答えた。

少女をじっと見ているうちに、エメラルド色のワンピースを着ているのに気がついた。

「洋服、新しいの？」

「うん、ニーナがくれたの。きのう、あるいてて、おみせにはいって……。これかってくれた。きれいでしょ」

「そうだね」

「ペンギンもきにいってるって」

「ペンギンに聞いたの？」

「うん、きいた。でも、つまんなそう……。もしかしたら、ここがきらいなのかなあ」

「たぶん、そうだね」ヴィクトルは相槌を打った。「だってミーシャは寒いのが好きだろ、なのに、ここは暖かいから……」

「じゃ、れいぞうこにいれたら？」

少女のそばにいるミーシャを見た。ミーシャは立ったまま軽く体を揺らしている。息をするたびに胸が膨らむのがわかる。

「いや、冷蔵庫に入れちゃだめだ。冷蔵庫の中は窮屈だからね。ねえ、ソーニャ、ミーシャはおうちに帰りたいんじゃないかな。でも、ミーシャのおうち、とても遠いんだ」

「すごく、すごーく、とおいの？」

「うん、南極ってところ」

「なんきょくってどこ？」

「ちょっと考えてみて、地球は丸いんだ。わかる？」

「ボールみたいなの？　わかる」

「よし、ぼくたちはボールの天辺《てっぺん》にいるんだけど、ペンギンのおうちはボールの下のほう、ほとんど反対側なんだ……」

「さかだちしてんの？」ソーニャはくすくす笑った。

「そう」頷いた。「こっちから見ると逆立ちだな。でも南極の人からすると、ぼくたちのほうが逆立ちしてるように見える……。わかる？」

「うん！」ソーニャは大きな声でそう返事して、ミーシャのほうに目を向けた。「わかる！　わたし、じぶんで、さかだちできるもん！」

そして、頭を下につけ、ソファの側面に背中をもたせかけて逆立ちしようとしたが、支えきれずに倒れてしまった。

「だめ、できない！」そう言いながら、ソーニャはまた絨毯に腰をおろした。「あさごはんたべて、おもくなっちゃったんだ……」

ヴィクトルは微笑んだ。こんなに楽しく、イライラしないでソーニャと話ができたのは初めてだった。ここ数ヵ月で初めてだ。変だなと思った。というのも、ソーニャのことは、やはり身内だとは感じられなかったし、自分の人生に偶然降って湧いたものというようにしか思えなかったからである。自分のところに捨てていかれた子だけれど、自分はお人好しすぎて、この子をどこかの孤児院に入れてしまえないんだというふうに思っていた。いや、もちろん、必ずしもそうではなかった。ソーニャに対しては奇妙な義務感にとらわれているのだ。身に危険が迫ったとき、

〈ペンギンじゃないミーシャ〉は娘を預けていった（彼のことだってよく知らなかったが）。もし生きていれば、娘を引き取りにくるはずだ。でも今となっては、ソーニャを引き取る人はだれもいない。〈ペンギンじゃないミーシャ〉は一度も母親のことを口にしなかった。その後、友人でもありライバルでもあるチェカーリンがソーニャを取りあげようとしたが、さほど熱心な態度でもなかったし、しつこくもなかった。それ以上何も言いたてず、挨拶もしないで、そそくさと帰ってしまった……。それからというもの、ソーニャはすっかりうちに馴染んでいるが、とくに心配事もなければ、困ることもない。たしかに、ひとつにはニーナのおかげだろう。でもまあ、そもそもソーニャがいなければ、ニーナも現れなかったわけだし……。ソーニャがうちにやって来なければ、ミーシャと二人で前と変わらず、可もなく不可もなく、平凡に暮らしてただろう。

三時ごろ、ニーナが帰ってきた。セルゲイの母親の家事手伝いをした後なのに、また店をまわって買い物をしてきたと言い、買い物袋から、子供用のチーズやソーセージやカテージチーズをテーブルに出している。

「ねえ」キッチンに入ってきたヴィクトルに気づいて、話しかけた。「セルゲイおじさんがモスクワから電話してきたの。うまくいってるみたいよ……」

そしてキスした。

「まだ薪の匂いがする！」と言って微笑んだ。

55

数日が過ぎた。単調で何事もない日々。この間にしたことといえば、玄関ドアの鍵をふたつ取り替えたことだけだ。充足感は数時間しか続かず、その後、また退屈になった。何かしなくては。でも何もすることがない。ものも書きたくない。

「ヴィクトルおじさん！」朝バルコニーのドアのそばで、ソーニャが嬉しそうな声をあげた。「つららが、ないてるよ！」

また雪どけがやってきたのだ。そろそろ雪が融けてもいいころではある——三月初めなのだから。

春を待ち焦がれていた。春の暖かさが問題をすべて解決してくれるとでもいうように。とはいえ、自分の問題について考えようとしても、問題らしい問題はほとんどない、と思えるのだった。さしあたり金には不自由していないし、編集長が、謎めいた「夜の郵便」で借金を返してきた。タンスの上に置いてあるバッグの中には、ピストルと一〇〇ドル紙幣の分厚い束が入っている。この金はソーニャのものだけれど、非公式の保護者としては、道徳的に見て、その一部を自分のものだという権利があるのではなかろうか。

ニーナが相変わらず一日中ソーニャの相手をしてくれ、ソーニャと二人で家にいることもあれば、外に行くこともあったので、ヴィクトルは自分自身と向きあうことができた。そして夜になれば、ニーナと体を重ねるのだった。それがまったく愛でも情熱でもないことはわかっていたが、それでも毎日、体や両腕が夜を待ち望んでいた。ニーナを抱いて愛撫し、愛の営みをすると、自分を忘れることができた。彼女の体の暖かさこそ、待ち焦がれている春そのものなのではないかと思える。そして夜も深まり、ニーナが寝息をたてて眠っているようなとき、目を開けて横になっていると、きちんとした日常生活というものが妙に心地よく感じられるのだった。自分には何もかも揃っている、まともな生活に必要なものが揃っている、と横になったまま思うのだった。妻、子供、ペットのペンギン、自分。これら四つをまとまったひとつのものと考えるのが不自然だということは百も承知だったが、不自然でも心地よく、一時的な幻影でも幸福を感じることができるので、「百も承知」は頭から払いのけていた。もっともその幸福感は、幸福とはこういうものじゃないかと朝起きぬけの理性的な頭で描く幻影とは違うかもしれない。でも、いずれにしろ朝、理性的な頭で考えることなど、夜にはどうでもよかった。夜の幸福と朝の理性的な考えが交互にやってくるということ自体、そしてずっとその交替が続いているということ自体、ヴィクトルが幸福でもあり同時に理性的でもあることを証明しているのではないだろうか。要するに、すべて順調で、生き甲斐もあった。

キッチンにいると、思いがけず電話が鳴った――ちょうどペンギンの朝食を冷凍庫から出しているところだった。薄く切った魚を鉢に投げ入れて客間に行き、受話器をとる。

「ごきげんよう」聞き覚えのある声だ。「調子はどう？」

「まあまあかな」

「もうキエフに戻ってる」それを聞いてすぐ編集長だとわかった。「君の休暇は終わったものと思ってくれていい……」

「それじゃ、編集部に行こうか？」驚いて尋ねた。

「時間がもったいない。使いを遣《や》るよ。できてる原稿をその使いに持たせてくれ、そいつが次の仕事を渡す。家にいる？」

「ああ」

「よしいいぞ！　ついでだが、君は労働組合のメンバーじゃないけど、休暇も有給だ！　それじゃ！」

コーヒーを淹れた。家の静かなのが嬉しい――ニーナとソーニャは、マツユキソウを探しにプシチャ＝ヴォジツァに行っている。こういう静かなときは、コーヒーを持って机の前に座り、心安らかにいろいろなことを考えることができる。何も考えないでぼおっとしていたっていいくらいだ。ひたすらコーヒーを味わうことにだけ気持ちを集中させ、心の平静を乱しそうな考えはいっさい近づけないようにすればいい。

ところが、机の前に座って濃いコーヒーに口をつけたとたん不安を感じた。

ミーシャが魚を一切れ落とすと、ヴィクトルは神経質にびくっと身震いし、右を向いてペンギンを睨んだ。

コーヒーの味などどうでもよくなってしまった。不安が膨らんできた。神経に障る不気味な考えが浮かび、さまざまな問題に悩まされる。

今度は何を書くんだろう。また〈十字架〉だろうか。自分の「追悼記事」が用意されているなんて夢にも知らない人たちの履歴に、また赤鉛筆で線が引いてあるんだろうか。編集長室でたまにコーヒーを飲むのか。編集長の自分に対する好意的な態度、震えたような丸みのある字体、書面の簡潔さ、「処理済」という一語への執着。この「処理済」という言葉は、拡大追悼記事にふさわしい人の死去を新聞読者に告げる〈十字架〉のオリジナル原稿に何度も几帳面に記されていた。

新しいジャンルは（ヴィクトルが考えだしたジャンルだが）生きている。このジャンルの主人公の多くは死んでしまったが、ジャンルそのものはまだ生きている。でも、もう名誉を手に入れたいとは思わなかった。もうだいぶ前から「これは俺が書いたんだ！」と叫びたい気持ちが失せ、「友人一同」という無名の存在でいることに満足しきっている。この「一同」の中にいれば孤独じゃないと思えた。編集長もこの「友人一同」の一人だ。だれか他にも「一同」の仲間がいるんだろう。もしかしたら、だれか「友人代表」がいるのかもしれない。そのだれかが、俺の書いた〈十字架〉原稿の上に闊達な字でサインし、承認してるんだ。でも、いったい何を承認してるのか、よくわからない。原稿がよく書けているってことか、それとも〈十字架〉に取りあげられる人の人選か。それにしても、あそこに書かれていた日付けは、どう考えても追悼記事が新聞に載る日のことだ。追悼記事の当人がまだ生きているときに書かれたことも間違いない。死の計画経済なのか？

いや、わかっている。このだれかは、俺の書いた原稿の質がいいって認めているのでもなければ、哲学的な思索を入れたり波瀾万丈の人生をうまく表現しているところを認めているのでもない。追悼記事の人選を承認して、追悼記事に選ばれた人があとどれくらい生きられるか決めてるんだ。そうだとすると、編集長は、こういう物事の流れのほんの端役でしかない。ある種、メッセンジャーと切符検札係を足して二で割ったような役回りってところか。たぶん指定された日に〈十字架〉を載せるのが編集長の仕事なんだろう。でも、今となってはこの役割も俺と同様、たいして意味のあるものとは思えない。もっとも俺自身がどんな役割なのかは、やっぱり完全にはわからないが。

論理的な思考を続けていたのに、われ知らず思いだしたことに突然気をそらされ、体が震えた。何が起きているのかおおよそ摑みかけた矢先、あることを思いだして元の木阿弥になった。知らないこと一つと知っていること二つから成る方程式を解こうという気持ちも萎えてしまった。そう、空港に行く車がアパートに迎えにきたあの夜、編集長は最後にこう言ってたじゃないか。

「君の仕事も、ついでに君の命ももう必要ないって段になったら、そのときすべてわかる……」

あのときは、これで編集長とは永久にお別れだという気がしていた。そして自分の仕事もこれっきりだと、当然のように思った。編集長室の金庫でまったく思いがけない謎めいたものを見つけて不安になったことはたしかだが、次の日にはもう、この謎は時そのものがどこかはるか昔へと押しやってしまったような気がしていた。遠い過去の謎と人生行路を踏み外してしまった自分自身との間には時間的な距離があると思ったら、謎への興味も薄らいでしまったらしい。自分もその謎を作りあげた張本人の一人だってことは明らかなのに。「何も知らずに生きるほうがいい。すべて過去のことなんだから、なおさらだ」そう考えたのだ。

ところが、とんでもない、まったく過去のことなんかではなかった。何もかもまだ続いているんだ。また赤鉛筆でマークされた箇所に細心の注意を払いながら仕事をしていかなければならないのか。

何が起こっているのか知ろうとすることに意味があるのだろうか。意味が？　ちょっと風変わりだけれど居心地のいい静かな生活を犠牲にする意味はあるのか。結局、生きていくためには、〈十字架〉を書いて、人に必要とされなければならないんじゃないか。

また編集長の最後の言葉を思いだした。

いや、あんなのくそ食らえだ。でも、そんなことはどれも考えないほうが、よっぽど気が休まる。

とっくに書きあげてある軍人の〈十字架〉の入ったファイルを窓際から取りあげ、苗字と原稿を見た。

「この将軍たちに何が起ころうと、俺の知ったことじゃない」と考えた。「だれだかわからないやつが、将軍の死とそれにまつわる追悼記事の掲載を何日に設定しようと、俺の知ったことか。しかも、その記事を読めば、そいつが死ぬのも仕方ないと思えるわけだし……」

生活が仕事にかかっているのなら、仕事を続ければいい。それなら本当に、今起こっていることからそっと身を引いているのが一番いいんじゃないだろうか。愚かなことをしないこと、姿をくらまそうとしたりどこか他の町に紛れこんだりしないで、もっとずっとシンプルに行動すること。ニーナの夢を叶えてやること——田舎に小さな家を買って、そこに引っ越して、四人で幸せに暮らそう。〈十字架〉を書いて、どこか外国にでも送るように、キエフに送ろう。どこか歯車のかみあわない国に送るように。

まだ自分の考えにすっかりのめりこんでいたので、ペンギンが膝に頭をのせてきたときには、思わず身震いしてしまった。ペンギンのほうを見て、撫でてやる。

「田舎に行きたい？」低い声で尋ね、一人で苦々しく笑った——そんな夢はあまりに現実離れしているように思えたのである。

56

本当に休暇は昨日で終わったらしい。タイプライターを前にして、熱いコーヒーを少しずつ飲みながら、苦労して書きあげたばかりの〈十字架〉の原稿を見直していた。キッチンのテーブルの残り半分はソーニャが占領している。鉛筆やマジックペンが散らかっている。ニーナは書き置きもしないで朝からどこかに出かけていたが、別に心配もしておらず、すぐに戻るだろうと思っていた。

昨日の夜、使いが持ってきたファイルには新しい資料が入っていたが、保健省の代表を含む何人かの書類以外に、休暇手当の入った封筒があった。少なくとも、封筒の中には「休暇手当」とだけ書かれた紙と、五〇〇ドルが入っていた。金は多少、創作意欲をかきたてたものの、仕事は遅々としてはかどらなかった。言葉は「戦闘隊形」を作って整列しようとせず、文はばらばらに乱れてしまう。大きな×印をして、最初から文章を書き直さなければならなかった。

「にてる？」ふいにソーニャが、描いた絵を見せながら聞いてきた。

「何描いたの？」注意深く絵を見た。

「これ、ミーシャ！」

ヴィクトルは、ちょっとどうかな、と言うように首を振った。

「どっちかっていうと、ニワトリに似てる……」

ソーニャはしかめ面をし、自分で絵を見ると、床に投げ捨ててしまった。

「怒らないの！　本物をよく見て描かなきゃ……」

「どうやって？」

「簡単だよ。ミーシャの向かいに座って、見比べながら描くんだ。そうしたら、もっと似るよ」

ソーニャはこの考えが気に入ったらしく、鉛筆とマジックペンをかき集め、もうあと数枚、紙をもらうと、ミーシャを探しに行った。

原稿に戻る。最初の〈十字架〉をどうにかこうにか片付け、両手でこめかみをちょっと揉んだ。どうやら仕事の勘が鈍ったらしい。

廊下でドアを開ける音がした。

ニーナだなと思い、窓際に置いてある目覚ましを見た。

正午近い。

しばらくするとニーナがキッチンに現れた。

「ただいま！」なぜか嬉しそうに笑いながら言った。

お返しに愛想よくする理由は特にない。

「おかえり」かなり素っけなく答えた。

「なんにも気がつかない？」

ニーナをよく見てみた。いつものジーンズ、見慣れたセーター。何も変わりはない。

肩をすくめ、とまどった目で彼女の顔を見ると、ふと、たしかにどこか違うという気がしてきた。どこが違うのだろうと、目を凝らしてニーナの顔や微笑みを見つめた。

「どう？」ニーナは笑いながら返事を催促する。

「歯かな？」ヴィクトルは驚いたように言った。

そう、笑っても、黄色い歯は一本もなく、きれいな白い歯ばかりだった。歯磨き粉のコマーシャルに出てくる女の子みたいだ。

ヴィクトルも微笑んだ。

「やっとわかったのね」ニーナは満足げにそう言い、ヴィクトルに近づいて、頬っぺたにチュッとキスした。「丸ひと月も待たされたのよ。順番待ちのないところは四〇〇ドルもしたけど、私は八〇ドルでやってもらった……」

「ニーナ、ニーナ！」紙を手にして、ソーニャがキッチンに走りこんできた。「みて！　ミーシャかいたの！」

そう言うと、ニーナに絵を見せた。ニーナはしゃがんで絵を見てから、少女の頭を撫でて言った。

「すごいじゃない！　額に入れて壁にかけましょうよ！」

「ほんと？」ソーニャは嬉しそうだ。

「もちろん！　みんながこの絵を見れるようにね！」

ヴィクトルも絵を眺めた。もちろん、ペンギンらしいところもある。

「さてと！」ニーナは立ちあがって言った。「今日はみんな美味しいお昼を食べる資格があるね。

さあ、ちょっとの間、キッチンから出てて！」

ソーニャが自分の絵を部屋に持っていき、ヴィクトルもそのあとについていった。

「もうすっかり主婦みたいに取り仕切ってるな」と思ったが、ちっとも腹立たしくなかった。むしろそう考えると楽しくなった。

57

外は、この年初めての春雨がそぼ降っている。中庭に積もっていた雪はもうおおかた融けて、コチコチになった雪の塊が低い木の根元に残っているくらいだ。とはいえ、これとて余命いくばくもない冬の名残にすぎない。あと数日もすれば、暖かくなった地面から新しい緑の草が萌え出てくるだろう。

ヴィクトルはキッチンのテーブルにつき、窓のほうを向いて座っていた。手元の紅茶が冷めかけていたが、お茶のことも忘れて中庭を見ていた。何といっても、春のぬくもりを心待ちにしていたのだ。春のぬくもりがやってきたからといって生活が変わるわけではないが、うっすらとした雲を突き抜けて鋭い刃のように陽光が射しているのを見ていると、なぜということもなく、おぼろげな希望が湧いてきて微笑が浮かんでしまう。

テーブルの上には、例によって〈十字架〉の完成原稿の入ったファイルが置いてある。編集長に電話して、仕事が終わっていることを報告してもいいし、次のワンセットに取りかかるのをもう少し先延ばしして、あと一日待つという手もある。

雨から目をそらして考えた。次の死亡記事はだれのだろう？　宇宙飛行士か、潜水艦の乗組員か。

今ではもう、渡されるファイルの人々が、ある共通の利益や職業で結びついていると考える癖がついていた。たとえば軍人、保健省の役人、国会議員といったように……。そのことはさほど奇妙なことには思えない。仕事を始めたばかりのころつけていたノートのことはとっくに忘れていた――いつだったか編集長に、これからはだれの記事を書くかは君が決めるんじゃない、と言われた。それからというもの、新聞を読むのもやめ、紙面で「重要人物」の名前を探すのもやめてしまった。今ではもっぱら、詳細な書類にもとづいて「半製品」を「完成品」に仕上げるだけ。そのほうが楽ではあったが、何かあやしいという気持ちが強くなった。仕事をすればするほど、あやしいんじゃないかと疑う気持ちは強まり、やがてこの〈十字架〉をめぐる仕事は明らかに犯罪行為の一部にちがいない、と思うようになった。しかし、絶対にそうだと思うようになっても、日常の仕事や生活には何ら影響を及ぼさなかった。そして、今ではこのことを考えないわけにはいかなかったものの、前よりは考えるのが日に日に楽になってきた。現実問題として、自分の生活を変えることはできないということを自覚していたのだからなおさらである。荷馬車を曳かされている以上、最後まで綱を引かなければならない。自分は荷馬車の綱を引いているのだ。

部屋で電話が鳴り、すぐにニーナがキッチンを覗いた。

「ヴィクトル、電話よ！」

客間に行って、受話器を取る。

「もしもし、ヴィクトル？」聞きなれない男の声だ。

「そうです」

「リョーシャだ。覚えてる？　墓地から一緒に帰った」

「ああ、覚えてる」

「大事な用があるんだ……。二〇分ほどでおたくのアパートに行くから、車が下で止まったら出てきてくれないか！」

「だれ？」途方にくれたような顔で手に受話器を握ったまま立ちつくしているヴィクトルを見て、ニーナが聞いた。

「知り合い……」

「ソーニャと、本を読むお勉強してるの、ね、ソーニャ？」とニーナが言った。

「うん」本を手にしてソファに座っているソーニャが答えた。

玄関に近づいてくる車の音を聞きつけ、上着をはおって下におりた。

「乗れよ！」リョーシャが車の中に招き入れた。

ドアを閉める。中はひんやりしている。

「ペットのご機嫌はどう？」リョーシャは、髭を撫でながら、わざとらしいくらい愛想よく聞いた。

「変わりない」

「じつは、こういうことなんだ」真面目な表情になって、リョーシャは続けた。「ペットと一緒にちょっと来てほしいところがあって……。あまり楽しいとこってわけじゃないけど……。ともかく、ただで、とは言わない」

「何のこと？」ヴィクトルはそっけなく受けた。

「友人たちのボスが死んで、明日葬式なんだ。いや、立派な葬式だぜ。ブロンズのハンドル付きの棺、それだけで一五〇〇ルーブルはする。で、前にあんたのペンギンのことを話したことがあってね、それを思いだした友人たちが、ペンギンを連れて葬式に来てもらえって言いだしたんだ」

「なんで？」驚いて相手の顔を見つめる。

「どう言ったらいいかな……」リョーシャは考え深そうに下唇を噛んだ。「何事にも流儀ってもんが必要だろ……。ま、葬式にペンギンってのが流儀だって、連中には思えたんだろう。最高級の流儀みたいにな。ペンギンは、格好からして葬式におあつらえむきじゃないか、白黒で……。な？」

　話の内容はわかったが、馬鹿げた冗談のように思え、もう一度リョーシャの目をじっと見つめた。

「真面目に言ってるの？」と聞いたが、相手の表情は真面目という以上だった。

「ペンギンのレンタル料に一〇〇〇ドル。これでも真面目じゃないって言うのか？」リョーシャはわざとらしく微笑んだ。

「あんまり乗り気になれないな」相手が冗談を言っているのではないことを見極めてから、ヴィクトルは正直に言った。

「じつを言うと、選択の余地はない。断ることはできないんだ。断ったら、死んだ男の友人たちが怒りだすだろう……。悶着を起こさないでくれ。明日一〇時までに迎えにくる」

ヴィクトルは車を降りた。車が向かいの建物の角を曲がって消えるまで、じっと見送った。

部屋に戻り、バスルームに閉じこもった。湯が溜まるまで、鏡の前に立って自分を映し、記憶にとどめておきたい写真を見るように自分を見ていた。

58

あくる日、リョーシャの古い外国車で、バイコフ墓地に行った。リョーシャが前でヴィクトルとミーシャがうしろに座った。だれも口をきかなかった。

墓地の入り口で軍の迷彩服を来た若い男が車を止めた。男は運転手の側から屈みこんでリョーシャに頷くと、行っていいというように片手を振った。

車は墓碑や塀の横をどんどん過ぎていく。気が滅入ってきた。

先のほうで、外国車が渋滞して道をふさいでいる。

「少し歩かないとな」リョーシャがうしろを振りむいて言った。

彼はダッシュボードから双眼鏡を取りだして首にかけ、車を降りた。

墓地の空は雲ひとつない。太陽が輝き、あたりには場所にそぐわず鳥たちの陽気なさえずりが響いている。ヴィクトルはまわりを見回した。

それから、新品の「カッコいい」外国車のわきをゆっくりすり抜け、埋葬が始まるのを今か今かと待っている人たちのほうへ進んだ。

「なんで双眼鏡が要るの?」歩きながら聞いてみる。

少し先を歩いていたリョーシャが振りかえって言った。

「人それぞれ、やることがある。俺は、警備と秩序の担当なんだ。お祭りに邪魔が入らないように……」リョーシャは口ごもり、また続けた。「じゃない、万事滞りないようにする役割さ……」

ヴィクトルは頷いた。

二人は人の集まっているところまで来た。きちんと喪服を着こんだ人たちが、二人を通すために道をあけた。

墓穴のすぐそばまでやって来た。その脇には、蓋の開いた棺があって、中に金縁メガネをかけた、四〇がらみなのに白髪の男が横たわっている。しゃれたスーツの上から、胸のあたりを花束がおおっている。

立ち止まり、身をこわばらせて振りかえり、リョーシャの姿がないのに気がついた。悲しみにくれた、まったく見も知らぬ人たちに取り囲まれている。それに、だれ一人、ヴィクトルにもペンギンにもぜんぜん注意を払っていないようだ。

故人の枕辺には、聖職者が聖書を開いて立ち、何かぶつぶつつぶやいている。そのうしろに聖衣を着た若者がいる。たぶん助手だろう。

目を閉じてすべてが終わるのを待っていたかった。でも、この葬儀の雰囲気には、何か張りつめた、ほとんど電気のようなものが感じられ、それが針のようにヴィクトルの顔や手の皮膚をちくちく刺して、望みもしないのに気が高ぶり、いらいらさせられる。ペンギンと同じく、微動だにせず立ちつくしていた。目の前で埋葬の儀式が執り行われている。故人の額には紙のようなものが載っており、そこには十字架の絵が描かれ、教会スラヴ語で碑銘が書きつけてある。聖職者が、栞をはさんである箇所を開き、もったいぶったバリトンで歌うように物悲しく読みはじめた。だれもが頭を垂れた。ペンギンだけがぴくりとも動かない――ミーシャはそれまで同様、頭を下げて墓穴を見つめている。

ミーシャを横目で見た。

俺たちは、この儀式の一部なんだ、と思った。

清潔な作業員が、二人して、ロープをつけた棺を墓穴におろすと、葬儀の参列者たちは活気づいた。土くれが棺の蓋にあたる音がする。

自分とミーシャが初めて人目を引いたような気がした。ただ横目で見られるだけだが、好奇の目もあれば、悲しみに満ちた目もある。

リョーシャが近づいてきて言った。

「親類縁者が追善供養の会にも列席してほしいって言ってる。『モスクワ』ホテルのレストランで夕方六時だ。それから、これ、預かってきた……」

リョーシャは封筒を差しだした。ヴィクトルは、一言も口をきかず、無造作にそれをポケットにしまった。

「車に行っててくれ。送るから」とリョーシャは告げて、脇に行った。

うしろを振りかえると、背の低い中年の男が一部始終をビデオにおさめているのに気づき、顔をそむけた。ミーシャの前にしゃがんだ。

「さあ、家に帰ろうな」そう言って、ヴィクトルは哀しげな笑みを浮かべ、気のなさそうなペンギンの目を覗きこんだ。

帰り道も押し黙ったままだった。

「追善の会のこと、忘れるなよ！」リョーシャは別れしなにそう言った。

頷いた。車が遠ざかっていく。

「なにが追善だ！　だれが行くもんか」ペンギンを抱いて階段をのぼりながら、そう思った。

59

夜、ソーニャを寝かしつけてから、キッチンでワインを飲みながらニーナに「ペンギンと行った葬儀」の話をした。

「それで？」おどけたような声でニーナが聞いた。「それで一〇〇〇ドルもらえたんなら、なにも気に病むことないじゃない」

「いや、気に病んでるわけじゃないけど」しばらく黙っていたが、やがて言った。「大金だし……。なんだか変だ」

「ねえ、ペンギンもお金を稼ぐようになったんなら、私のお給料も上げてくれる？」ニーナは微笑みながら、でも真面目に言った。そしてすぐに口調を和らげてつけ加えた。「どっちみち全部、自分たちのことに使っちゃうんだけどね。ソーニャに靴を買ったり……」

「お願いだから、給料なんて言わないでくれよ！」ヴィクトルは深い溜め息をついた。「朝、金を渡す。なくなったら言えばいい」

ニーナをじっと見つめて、首を振った。

「なあに？」

「べつに……。ときどき、君にはどことなく農村を思わせるところがあるなって思う」

「生まれが農村だもの」ニーナははっきりそう言うと、にっこり笑った。

「そうか、寝に行こう！」そう言って椅子から立ちあがった。

翌朝ニーナに揺り起こされたヴィクトルは、寝ぼけた目を向けた。

「どうした？」まったく起きあがる気がしなかった。

「キッチンに何か紙袋が置いてあるの」ニーナの声は不安げだ。「見にいって！」

跳ね起きてガウンをはおった。あぶなげな足取りでキッチンに行った。

たしかに、何かでぎゅっと縛った紙袋がテーブルの上に置いてある。溜め息をついて、また手品か、と思った。

廊下に出て錠を調べた。玄関のドアは鍵がかかっている。

キッチンに戻り、おっかなびっくり袋に触ってみる。手の感触からすると瓶の形をしているようなので、今度はずっと大胆に包みを開けた。

「ニーナ！」五分もすると紙袋の中身が何だかすっかりわかったので、彼女を呼んだ。

ニーナは入ってくるなり、食べ物が所狭しと並べられたテーブルを見て、あっけにとられた。

魚の煮こごり、薄いポリエチレンでラップされた、レストランの伝統肉料理各種、新鮮なトマト、ウォッカ「スミルノフ」。

「これ、どこから来たの？」

ヴィクトルは唇をゆがめて、皿の縁を指さした。そこには青い文字で「ウクライナ・レストラン協会」と書いてあった。

「手紙がついてる！」ニーナがウォッカのボトルを顎でしゃくった。

そう言われてみると、ボトルの首のあたりに、小さく折りたたんだ紙がテープで留められている。テープをはがして紙を広げると、こう書いてあった。

兄貴、もうこんなことするな。死人は敬わなくちゃいけない！　これは親戚たちからの贈り物だ。飲むときにアレクサンドル・サフロノフを追悼してやってくれ。それじゃまた。

リョーシャ

「だれから？」

手紙を渡した。ニーナは、読んでから、いぶかしげにこちらを見つめた。

「こんなことするなって何のこと？」

「昨日、追善の会に行かなかった」

「行けばよかったのに」

ヴィクトルはいらだたしげに一瞥をくれ、キッチンを出た。なめし革コートのポケットを調べて、リョーシャの名刺を見つけた。客間に行き、意を決して受話器をとり、番号を回した。

相手はなかなか出ない。

「もしもし」ようやく、嗄れた眠そうな声がした。

「リョーシャ？」そっけなく聞いた。

「ああ……」追善供養で飲みすぎたのだろう、むにゃむにゃいうばかりだ。

「ヴィクトルだ。紙袋の手品、いったい何の真似だ？」

「手品って？　ヴィクトルか？　ペットのご機嫌はどう？」

「聞けよ、どうしてこの紙袋がうちのキッチンにあるんだ」いらいらしながら言った。

「なんだって？　親戚のやつらに頼まれてさ……。何、気にしてんの？」

「気にしてるのは、どうしてドアの鍵が閉まってるのに紙袋がうちにあるのかってことだ！」受話器に向かってほとんど叫んでいた。

「落ちつけ！　聞こえてる。頭が痛いんだから……。なんだっけ？　ドアの鍵が閉まってたってんだろ。いや、完全に閉まるドアなんてないんだよ！　なんだ、子供でもあるまいに。まあ、サフロノフのために飲んで偲んでやってくれ。俺も迎え酒といきたいところだが、もうちょっと寝る。なんで起こしやがった」

そして電話はがちゃんと切れた。

首を振った。自分があまりに無力で無防備だと自覚するのはつらい。

「ヴィクトル」キッチンからニーナの呼ぶ声がする。

キッチンに行った。

テーブルがすっかり整えられていた。皿が二枚並べられ、それぞれの皿の脇にはグラスがある。

「座って。せっかくのご馳走を台無しにすることないじゃない！　新鮮なうちに……」そう言ってから、廊下に通じるドアのほうを向いて大声で呼んだ。「ソーニャ！　ご飯よ！」

「その人を悼んで飲まなきゃ、悪いわ……」と言いながら、まだテーブルの前でぼうっと立っているヴィクトルのほうに向き直り、目で「スミルノフ」を指した。

ヴィクトルは蓋を開けた。

ソーニャが入ってきた。片手に絵を持っている。

「わたしのかいたえ、みて！」ニーナに絵を渡した。

ニーナは絵を受け取って冷蔵庫の上に置いた。

「まずご飯を食べて、それから見ましょうね！」学校の先生のような調子で言った。

60

一日が過ぎ、例によって書類の入ったファイルを受け取り、タイプライターに向かっていた。窓の外では春の太陽が輝いている。表はまだ肌寒いけれど、ここキッチンにいると、太陽は黄色い光をテーブルいっぱいに広げているだけでなく、空気まで暖めているように感じられる。仕事をしている上、待ちに待った暖かい日差しを浴びているので、ここ数日の重苦しい気分は吹き飛んだ。どの出来事も身近にまだ余韻が残っているような気がするが、赤鉛筆で線を引かれた事実を、自らの哲学的な言葉模様の中に、これでもか、これでもかとからめていく仕事をしているうちに、無力な自分を思い起こさせる事件や不快なことから逃れることができた。

何回目かのコーヒーブレイクのとき、突然ある記憶がよみがえった——いつだったか、サフロノフという苗字の人の〈十字架〉を書いたことがあったのを思いだしたのだ。どういう人間だったかとか、その人の業績のどこに赤線が引かれていたかといったことは、今となってはすっかり忘れている。でも、つい先日ミーシャと一緒に参列したのは他ならぬそのサフロノフの葬式だったのではなかろうか。まあ、一〇〇パーセントそうだとはやはり言い切れないが、どう見ても追悼記事が書かれるような人にふさわしい立派な葬儀だった。そのこと自体、追悼文の主人公その人の葬儀に立ち会ったのではないかという推測を裏づけるものではないだろうか。

まず追悼文を書き、それから本当に本人が死んで埋葬されたかどうかチェックするかのように葬儀に参列するなんて、まるで「制御装置」みたいだなと思うと、笑いさえこみあげてくる。

ニーナとソーニャがドニエプル川に遊びに行っているので、仕事に没頭することができた。実際この日はずいぶんはかどった。書きおえた段落を読み返し、満足して、他人の死をテーマにした即興原稿の続きを書く。

〈十字架〉を四本書いてから、窓の外を覗き、太陽がまぶしくて目を細めた。それからヤカンを火にかけ、部屋をちょっとぶらついてから、ミーシャの前にしゃがんだ。ミーシャは、冷たい隙間風が吹いてこないかと待ち受けているみたいに、バルコニーのドアのそばに立っている。

「どう、調子？」ペンギンの目を覗きこんで言った。

「最高、最高！」答えを待ちきれず、ミーシャの代わりに自分でそう答えて、立ちあがった。

絵が二枚、ガラスの額に入れられて、壁にかかっている。近づいてみる。一枚はこの間見たペンギン＝ミーシャのポートレートだ。もう一枚には、三人の人間と小さなペンギンが一羽描かれている。「ヴィクトルおじさんとわたしとニーナとミーシャ」と、頼りなげな汚い字で書かれているが、その後、明らかにニーナの手で「おじさん」が「パパ」に、「ニーナ」が「ママ」に書き替えられている。ニーナの字は几帳面で、先生みたいだ。絵の下のタイトルが直されていることと自体、先生のやることとみたいだ。足りないのは評点だけ。間違いを二ヵ所直されているから、五点満点の四点といったところか。

この絵の前で棒立ちになった。ニーナの書き替えが、なんだか気に入らない。言葉に対して、状況そのものに対して、なにか強制されているような感じがする。絵はかなり高い位置にかけてあるので、ソーニャは椅子にでものぼらないと見えないだろう。ということはつまり、ニーナが書き直しをしたのは、自分とヴィクトルのためということになる。

ニーナも「家族ごっこ」をしているのかもしれない。ヴィクトルと同じように。自分たちが不可分の一体だという幻想。ソーニャだけがいとも簡単に、ごく自然に、毎日この幻想を壊している――まるで「パパ」や「ママ」といった言葉を知らないかのように。あるいは知っていてもそうした言葉を使ういわれがない、というように。

ソーニャが一番現実に近い。小さすぎて複雑な世界を思い描くことができないし、ナイーヴすぎて二人の大人の考えや感情を推しはかることができないから。

「まあいいか！」またニーナのことを考えた。「自分自身の子供は欲しくないのかな。そうなったときには、その子が一生ママって呼んでくれるさ！　ありきたりの話だ……」

そして考えこんだ。自分を「パパ！」と呼んでほしいかどうか。言われたら嫌な気はしないだろう。金はあるし、仕事もある。何でも揃ってる。母親になれる魅力的な若い女までいる……。愛がないが、それはたいしたことじゃない……。愛もやっぱり「その気になれば手に入れられるもの」なんだろうか。田舎に引っ越して、家具付きの広い二階建ての家を買いさえすれば、蠟燭を灯すように、愛も燃えあがるのだろうか。

馬鹿な考えを振り払おうとでもするように、首を振った。

61

三月になると、大地が暖かくなってきた。律儀な管理人が毎朝外回りの掃除をするように、太陽も毎朝高く空にのぼっては力いっぱい輝いた。

いつもの書類入りファイルに精を出していた。休憩をとってコーヒーを沸かし、カップを持ってバルコニーに出た。ときにはミーシャも一緒にバルコニーに出ることがあったが、太陽の光はミーシャにも喜びをもたらすようだった。

五分ほどかけてコーヒーをゆっくり飲み、キッチンのテーブルに戻る。タイプライターがふたたび音を立て、紙に活字を打ちだしていく。

いい気分でいることと、〈十字架〉の詩的で暗い雰囲気にひたること、このふたつを両立させるのは簡単だった。先日も、ペンギンを連れてふたつめの葬儀に参列し、その後一人で、見も知らぬ故人の追善供養の会に最初から最後までいなければならなかったが、それで調子が狂うということはなかった。それに、奇妙なのだが、さほど恐ろしいことでもなかった。優に二〇〇人はいると思われる参列者がだれ一人特別な関心を向けてこなかった。もちろん、隣に座ったリョーシャを除いて。でもリョーシャにしたところで、早々と飲むだけ飲んで酔っ払うと、すぐに皿をどかして頭をテーブルクロスに、というよりテーブルマットにつけて寝てしまった。

追善の席ではスピーチはおこなわれなかった。二脚の長いテーブルに、立派な身なりの男たちが座って、半ば実務的、半ば物悲しげな視線を交わしながら、ウォッカの杯を上げている。口を閉じたまま挨拶を交わすこの方法をヴィクトルはあっさり真似て、同じように心からの深い悲しみを目に浮かべて向かいの人たちを見ながら頷き、杯を上げた。本当に哀しかったが、それは故人とはなんの関係もない感情だった。ただこの席の雰囲気にどこか精神的な圧迫感が感じられ、出席者がほとんど男性だというのも奇妙だった――まわりを見回して気づいたのだが、女性は三、四人しかいないようだ。しかもその女性たちはかなり年とっていて、目立つ喪服を着ており、喪服を着ているがために悲しい、というふうだった。その後、追善供養の会が終わると、レストランに横付けして止まっていた車の一台に乗るよう言われた。その車には他にあと三人見知らぬ男たちが乗りこんだ。でも、だれも自分から名乗ろうとしない。そのうちの一人が、どこに住んでいるかと聞いてきただけで、その男が運転手にだれをどこまで送るか指示した。真夜中の配送だ。一時近くにようやく家に帰ると、廊下でひょっこりペンギンに出くわした。

「よお、寝てないのか」酔ってにこにこしながらミーシャに聞いた。「さあ寝なくちゃ。明日また急に墓地に来てくれってことになったらどうする?」

でもそういうことにはならず、すでに一週間が経った。タイプライターで次々に原稿を打ちだし、春と太陽に喜びを感じていた。たしかに、気のふさぐこともあれば、自分が何かよからぬことに関与しているのではないかと思うこともときにはあったが、今ではそんなふうに悩むことはめっきり減って、自分の暮らしが不安のない気楽なものに思える。それにしても、よからぬ世界のよからぬこととは何なのだろう。自分の知らない巨大悪のごく一部ではないのか。その悪はすぐそば、すぐ近くに存在しているが、彼個人やその小さな世界を侵すことはない。たとえ何かよからぬことに関わっているとしても、それをまったく与り知らないのであれば、それこそ彼の世界がゆるぎなく落ちついている保証なのではないか。

もう一度窓のほうを振りむき、太陽の光を顔に浴びた。

本当に小さな家でも買って、夏は庭にテーブルを出し、きれいな空気を吸いながら原稿を書くのはどうだろう。ソーニャが野菜畑の畝の間を走りまわる——何か栽培したら、きっと喜ぶぞ。ニーナだって満足するはずだ……。

別荘で新年を迎えたことを思いだした。セルゲイのことも、燃えさかる暖炉のそばで過ごした時間も思いだした。はるか昔のことのようだ! それほど時間が経っているわけではないのに、それでも、はるか昔のことのように思える!

62

日曜日になっても太陽は輝いていた。朝方、空はうっすらと雲におおわれていたが、一時になるころにはこの霞のような雲は姿を消し、春の空は、青くよく晴れわたった。

三人で朝食をとってから、クレシチャーチクに行くことにした。ペンギンをバルコニーに出し、エサを入れた鉢もそちらに置いておいた。でも念のためドアは少しだけ開けて、ペンギンが部屋に入りたくなったらいつでも戻れるようにしておく。

まずはニーナとソーニャをアーケードに連れていき、カフェのテラスでテーブルについた。二人にアイスクリーム、自分にはコーヒーを頼んだ。

お日様のほうに顔の向く席を自分で選んで座ったソーニャは、まぶしくて目を細めたり、笑いながら手を目のあたりにかざしたりしている。太陽の光と遊ぶソーニャの姿を、ニーナはにこにこしながら見ている。

ヴィクトルはコーヒーを一口飲み、振りかえって、カフェの隣にある新聞の売店が開いているのを見つけた。

「すぐ戻る！」立ちあがってそう言った。

テーブルに戻ったときには、勝手知ったる『首都報知』を手にしていた。まず見出しだけ先にざっと目を通して、嬉しいことに、肝を冷やしそうなことは何もないし、〈十字架〉がひとつも載っていなかったので、今度は落ちついて一面に戻った。またちょっとコーヒーを飲む。

　こういう穏やかな春の日に、驚くほど平穏なニュースばかりが並んでいるというのが素晴らしく感じられた。銃撃もスキャンダルもいっさいない。それどころか、まるで新聞が「人生を楽しみなさい」と読者に呼びかけているかのようだ。「新しいスーパー開店」とか「ロシアとの交渉進展」とか「イタリアにビザなしで」などの見出しを読むだけで楽しくなり、希望が湧いてくる。

「ソーニャ、イタリアに行きたい？」冗談めかして聞いた。

　ソーニャは、プラスチックのスプーンを舐めながら、首を横に振った。

「じゃ、どこに行きたいの？」ニーナが少女に聞いた。

「ぶらんこ」

　ニーナがナプキンをとって、ソーニャの唇についたアイスクリームを拭いてやった。

　ドニエプル川を見下ろす公園を散歩してから、遊園地に行った。

　そこでソーニャをブランコに乗せ、二人でブランコを揺らしてやると、ソーニャはきゃっきゃっと笑いながら空中に舞いあがった。

「もういい、もういい！」しばらくすると、ソーニャが叫んだ。

　それからまた三人で公園を散歩した。ソーニャが真ん中で、ヴィクトルとニーナが両側から手をつないでやる。

「ニーナ」歩きながら話しかける。「別荘《ダーチャ》を買うのはどうかと思うんだ」

　ニーナが微笑んだ。考えこんでいる。

「そうしたら素敵ね」しばらくしてから答えた。きっと、自分の趣味に合う別荘を頭に思い描いているのだろう。

お昼前に家に帰って、食事をした。

ソーニャはバルコニーにいるミーシャのところに行った。ニーナとヴィクトルはテレビの前に座った。

テレビでは『異郷探索クラブ』という番組のウクライナ版を放送している。鮮やかな黄色の水着を着た愛らしいブロンドの女性が、ディーゼル船の甲板でエキゾティックな島々について話している。それから、どこかの島におり立って、日焼けした原住民と笑いあう。ときおり画面の下のほうに、旅行会社の電話番号などの字幕が流れた。

「ねえ、どうしてソーニャにイタリアのこと聞いたの？」とニーナが尋ねた。

「イタリアがウクライナ人のビザを廃止したんだ」

「なんとか行けないかしら？」夢見るように言った。

画面にまたブロンド女性があらわれたが、今度は暖かい格好をしている——薄いニットのスカートに濃紺のジャケットを着ている。

「南極でウクライナの科学研究基地が活動を始めて一年になります」とブロンド女性は話しだした。「以前、番組で皆さんに、南極で働くわが国の学者に食料を補給する飛行機をチャーターするための寄付をお願いしました。多くの皆さんがこの呼びかけに応えてくださいましたが、残念ながら、寄付金はまだ足りません。経営者の方々、資産家の方々、わが国の学者が南極で研究を続けられるかどうかは、皆さんのお気持ちしだいです。どうぞ鉛筆と紙をご用意ください。これから、スポンサーとして寄付をお送りいただく口座番号と、寄付金がどういうことに使われるのかといった詳しいことがお聞きになれる電話番号が出ます！」

キッチンに走っていって、ボールペンと紙をつかんだ。

タイミングよく部屋に戻ってくると、画面に流れている口座と電話の番号を書き写した。

「なんで、そんなの要るの？」驚いてニーナが尋ねた。

肩をすくめて、ためらいながら答えた。

「二〇ドルくらい送ろうかな。ピドパールィの思い出のために。あの爺さんのこと、話したの、覚えてるだろ……。南極の基地のことが載ってる記事の切抜き、どこかにあるはずなんだ」

ニーナは非難するように横目でヴィクトルを見た。

「そんなの、無駄遣いよ。どっちみち横領されちゃうから……。チェルノブイリの子供たちの病院を建てるって集めたお金がどうなったか、知ってるでしょ」

ヴィクトルは口をつぐんだ。

書いた紙を折ってズボンのポケットにしまった。

自分の金をどこに送ろうと君の知ったことじゃないだろ、と心で思った。

63

三月も終わりに近づき、雨が多くなってきた。

太陽が姿を消してしまったので、気分がすぐれなかった。これまで通りタイプライターに向かって仕事をしていたが、今は仕事のペースも落ち、インスピレーションも湧かない。もっとも、それは〈十字架〉の質を下げることにはならなかった。書いたばかりの原稿を読み返すと、いつも我ながら満足できた。プロ根性はもはや気分に左右されたりしない。

ニーナとソーニャは、一日中家にこもっている。

ときどきニーナが買い物に出かけてしまい、ペンギンと遊ぶのにも飽きると、ソーニャがキッチンにやってくる。そういうときは仕事を中断して相手になってやらなければならなかった。辛抱強く少女の質問に答えていたが、廊下に玄関ドアを開ける音がすると、ほっとした。たいていソーニャはすぐにニーナのところに飛んでいくので、仕事に戻ることができるのだ。

リョーシャから電話があり、例によって「明日」葬式があるからよろしく、と言うので、気分はぶち壊しになった。そこで、外は湿っぽいし雨が降り続いている、気分は最悪だしミーシャが風邪をひくんじゃないか心配なんだ、と一〇分ほど言い募った。最後まで我慢強く聞いていたリョーシャは、あんたはまあどっちでもいいんだ、大事なのはペットが葬儀に来ることだから、と言い、しまいにこう申しでた。

「留守番しててていいよ、俺がペンギンを引き取りに行って、あとで返しに寄る。風邪ひかないように、墓地に着いたら傘さしててやるぜ!」

渡りに船だ。

葬儀に行かなくていいかと思うと嬉しい。半分はこっちの言い分が通ったのだから。

ペンギンがかわいそうだったけれど、仕方ない。もしペンギンを死者の葬儀に立ち会わせたくないと言いだしたりしたら、どういうことになるか火を見るより明らかである。

このときのやり取りで断固たる態度をとったことが、何倍にもなって報われた。次からリョーシャは、ヴィクトルに参列してほしいとさえ言わなくなった。今後は、リョーシャがペンギンのミーシャを引き取りに来て、終わったら送ってくる、ということで話がついたのである。驚いたことに、やり方が変わったというのに「謝礼」の額は変わらなかった――前と同じく毎回一〇〇〇ドルずつもらうことになった。墓地に立ち会ったり、追善供養に出たりしなくていいのだから、ぐんと楽になったわけである。今ではミーシャが一人で金を稼いでいるのだから、言ってみれば、ペンギン・レンタル業のようだった。

自分の給料が三〇〇ドルで、ミーシャの謝礼が一回で一〇〇〇ドルだと思うと、もちろんがっかりした。どちらも結局は自分の懐に入るというのが事実だとしても、それでこの歴然たる格差が消えるわけではない。でも、甘んじて受け入れていくしかないだろう。例によって、身のまわりで起こることは避けられないと諦めて受け入れていく他ないのだ。それでも、どんなにめげたところで、ミーシャへの愛情は変わらなかった。

編集長に給料の上乗せを頼んでみようかとも思ったが、すぐにそんなことをしても無駄だと直感的に思い直した。というのも、最近は力を抜いて仕事をするコツがわかってきたし、あれこれ文句をつけられることもなければ、〈十字架〉原稿を急かされることもなかった。自分の好きなようにやれるようになった――何本か原稿を書いて電話し、使いがやってきたらファイルを交換する。それに金だってあるんだから、文句を言う筋合いではない。

「そう、今のところすべて順調だ。これからも順調にいきますように」と結局は考えた。

「じゃ、雨がやんだら、別荘探しでもするか！」

そして、庭の真ん中に立つ小さな家や頑丈な二本の木に渡したハンモックや焚き火を起こしている自分の姿を思い描いているうちに、思わず知らず笑みが浮かんできて、晴れ晴れとした顔になった。

「きっと素敵だろうな」頭に思い浮かべたイメージには説得力があった。「何もかも綺麗で、明るくて」

すっかりその気になった。

でも雨はずっと降り続いている。〈十字架〉をめぐる仕事も続いていた。その上、天気にいっさいお構いなく、ミーシャが行かなければならない葬儀は頻繁におこなわれるようになり、まるでペンギンのいない葬式なんて考えられないという友人や親戚を持つ人の死亡率が急に跳ねあがったかのようだった。

いつものように葬式のあった日の翌日、もらったばかりの書類の中身を調べていると、びっくりした様子のソーニャがキッチンに息せき切ってやってきた。

「ヴィクトルおじさん！　ミーシャがくしゃみしてるよ！」

寝室に行き、横になったペンギンというものを初めて目にした。お気に入りのラクダの毛布に横向きに寝ていた。横たわって震えている。ときどき喉からぜいぜいいう声がもれてくる。

心底ぎょっとした。どうすればいいかわからず、ミーシャの上に屈んだまま動けなくなってしまった。

「ニーナ！」

「セルゲイのおかあさんちにいってる」とソーニャが言った。

「ほんのちょっと我慢してくれ、ほんのちょっと！」ミーシャを撫でながら震える声で言った。「何とかするから……」

客間に戻って電話帳を開く。たいして期待したわけではなかったが、「獣医」の欄にざっと目を走らせると、驚いたことに十数件も電話番号が載っていた。でもすぐに疑問が湧いた――いったいこの獣医たち、ペンギンを治療したことがあるだろうか。せいぜい犬や猫が専門だろう。

不安はあったものの、とりあえず目についた番号に電話をかける。

「もしもし、ニコライ・イワーノヴィチ先生をお願いします！」むこうで受話器をとった女性に、名前と父称が間違っていないかどうか電話帳でたしかめながら言った。

「少々お待ちください」

「はい、電話かわりましたが」本当に少し待っただけで男性の声がした。

「すみません、困ったことになって……。ペンギンが病気なんです」

「ペンギンですか？」男の声が繰り返した。声の調子からして、ここじゃだめだ、とぴんときた。「あのですね、それは私の専門ではないんで……。専門家をご紹介しましょうか」

「はい」ヴィクトルは息をついた。「お願いします！　メモとります！」

近くにあったボールペンでダヴィド・ヤノヴィチとかいう名前を電話帳にじかに書きとり、受話器を置く間も惜しんでその番号にかけた。

ダヴィド・ヤノヴィチは話をひととおり聞くと、こう言った。

「そういうペットを飼っていらっしゃるなら、治療に必要なお金はおありでしょう。住所を教えてください！」

「ねえ、おいしゃさん、くる？」ミーシャのところに戻ってそばの床に座ると、ソーニャが聞いてきた。

「来るよ」

「アイボリトせんせいみたいなひと？」ソーニャは哀しそうに聞いた。

アイボリト先生は、子供の本に出てくる獣医だ。ヴィクトルは頷いた。

ダヴィド・ヤノヴィチは三〇分もするとやってきた。禿げかけた背の低い男で、顔にはいつでも貼りついているような笑みを浮かべ、優しそうな目をしている。

「さて、患者さんはどこですかな」中に入って靴を脱ぐと、獣医は言った。

「あっちです」部屋のドアのほうを顎で示した。「スリッパ出しましょうか」

「いや、結構です！」獣医は急いでレインコートを洋服掛けにかけると、鞄を手にしてドアに向かった。濡れた靴下の跡がリノリウム床に残った。

「よし、よし」獣医はミーシャのそばにしゃがんで、会釈した。

ミーシャにちょっと触り、目を覗きこんだ。そして鞄から聴診器を取りだし、普通の医者のように、横腹や背中に当てた。それから聴診器を鞄にしまい、ミーシャを見ながら考えこんだ。

「で、どうなんでしょう」

獣医は頭を掻いて溜め息をついた。

「判断の難しいところですが、深刻だということはたしかです」こちらを向いて獣医が言った。「経済的な余裕がどれくらいあるかということにかかっていると思います……。私自身の報酬のことを言ってるんじゃないですよ！　私はたぶん何も手助けできませんから。専門の診療センターに入院させないと……」

「いくらくらいかかるんでしょうか」恐る恐るヴィクトルは聞いた。

獣医は困ったように、両手を横に広げてみせた。

「かなりまとまった額でしょう。それは間違いない。もし私のアドバイスにしたがってフェオファニヤの診療センターに入院させるとしたら、一日五〇ドルはかかります。そのかわり、できる限りの治療をしてくれますよ。保証付きです。すぐ近くに医師たちの病院があって、診療センターはそこでX線装置を借りていますから、正しい診断ができるんです。その病院の名医たちがたくさん来てアルバイトしてますし……」

「人間を診る普通の医者ですか？」驚いて聞いた。

「それが何か？」獣医は肩をすくめた。「動物は内臓器官が人間とは違うとお考えですか。病気が人間と違うというのはたしかだけど！　さあ、どうします、フェオファニヤにここから電話して、車をよこしてもらいますか」

ヴィクトルは、そうしてくださいと言った。

ダヴィド・ヤノヴィチは往診料として二〇ドルしかとらずに帰った。一時間ほどして別の獣医がやって来て、また診察し、触診もした。

「それでは、入院させましょう」とこの獣医はヴィクトルに言った。「正直に申しあげますので、ご安心ください。検査に三日かかります。そうしたら結果がわかるでしょう。治る見込みがあれば治療しますが、もしなければ」獣医は両腕を広げた。「お宅に連れて戻ります。金を無駄に使うことはありません」そして名刺を差しだした。「これは私の名刺ではありません。あなたのペットの担当医になるイリヤ・セミョーノヴィチです」

こうして、ペンギンと名刺を交換するように、獣医はミーシャを連れていってしまった。ソーニャは泣いていた。外は雨が降り続いている。書きかけの〈十字架〉がタイプライターからはみだしていたが、仕事どころではなかった。ソーニャが泣くのに連鎖反応を起こしたのか、ヴィクトルの目にも涙が浮かんだ。寝室の窓のそばに立ち、足を暖かいラジエーターにつけて、窓ガラスにしがみついていようとする雨粒を涙ぐんだ目で見た。雨粒は、突風が吹くと震え、しまいにはどこか脇のほうへ流れていってしまったが、また次の雨粒がそこに落ちてきて、意味もなく風との闘いを続けるのだった。

64

夜は眠れなかった。客間から、ソーニャのすすり泣く声が聞こえてくる。目覚ましの針に蛍光塗料が施してあるので、暗い中でも時刻が光って見える。二時近い。ニーナ一人が眠り、ときどき軽いいびきをかいている。

セルゲイの母親のところから戻ったニーナは、ミーシャのことを聞いて、もちろん悲しんだ。けれどもその後は、泣いているソーニャをなだめようと骨を折ったがうまくいかず、疲れて、頭を枕につけるなり寝入ってしまったのだ。

はしなくも、ニーナが気持ちよさそうに眠っているのが、面白くなかった。一瞬、ニーナが赤の他人のように思え、彼女には自分もソーニャもどうでもいいのではないか、という気がした。その分、ソーニャがより身近で親しい人間のような気がした。ミーシャの身を案じる気持ちが、ソーニャへの親近感を生んだらしい。

自分のほうに背を向けて眠っているニーナを見て思い直した。いや、むしゃくしゃするのは、ニーナが気持ちよく眠っているせいじゃない、眠れないから落ちつかないだけだ。

ニーナを起こさないよう気をつけてそっと起きあがった。ガウンをはおって客間に行き、ソーニャの上に屈みこんだ。

ソーニャは眠っていた。不安そうな表情で寝ており、軽い寝息を立てている。しばらく佇んでいたが、そっとドアを閉めてキッチンに行き、電気をつけずにテーブルの前に腰かけた。

まわりが暗くて静かなため、窓際に置いてある古い目覚ましがリズミカルにチクタクいう音がよけい響く。思いがけないほど大きな音に聞こえるので、とまどい、薄闇に身を隠したこの小さな音源を見た。黙らせたかった。目覚ましを手に取り、顔に近づけた。この単純で頼りになる時計というメカニズムが、時間を正確に示すために動いているのなら、そんな「正確な時間」などに興味はない。今は、あくまでも静けさがほしかった。それなのに、チクタクと時を刻む音はますます大きくなり、馬鹿げたことではあるが、目覚ましの動きを止めることができるのは時間そのものでしかない、ということに思い当たった。目覚ましを廊下に持っていき、玄関ドアのそばの床に置いて戻ってきた。

耳をそばだてたが、時計が遠くで鳴る音も聞こえないので、ほっとする。

向かいのアパートを見ると、電気がついている窓はひとつだけだった。目を凝らすと、窓の中に女性の姿があった。

テーブルに向かって本を読んでいる。顔は見分けられないが、突然その女性に、ほのぼのとしたもの、同情のようなものを抱いた。まるで、不幸を共有する友達であるかのように。

女性のじっと動かない姿を見つめた——その人は座って、両手に顎をのせており、ときどき右手を本におろしてページをめくっている。

外が急に明るくなったように思い、空を見上げると、黄色味を帯びた青白い半月が雲間から顔を出したところだった。でも、姿を見せたかと思ったら、またすぐ黒い雲に隠れてしまった。

明かりのついている窓に目を戻すと、女性はレンジのそばに立っている。火をつけて、ヤカンを置き、テーブルに戻って読書を続けた。

「雨があがってよかった」窓ガラスで震えていた雨粒を思いだして、ふとそう思った。

廊下に通じるドアのほうを見やり、ミーシャの癖を思いだした。まずドアを突いて、敷居のあたりでちょっと立ち止まり、それからテーブルにいる主人のところにやってきて、自分の胸を膝のあたりにもたせてくる。今ドアが開いて敷居にミーシャが立ち止まったらどんなにいいだろう。

三〇分ほどしてからキッチンを出て、さっきと同じようにそっと寝室にもどり、また毛布にもぐりこんだ。眠っているソーニャのすすり泣くような声がまだ聞こえていたが、やがて寝入った。

翌朝ニーナに起こされた。

「またなれかが夜中に入ってきたみたいなの……」心配そうに言う。

「どうしたの」ヴィクトルの声は眠たげだった。「また何か置いてあるの」

「ううん」ニーナは首を振った。「そうじゃなくて、目覚ましが玄関に置いてあるの」

「ああ」慰めるような調子でつぶやいた。「それ置いたの俺なんだ……」

「なんで？」

「音が大きかったから」ヴィクトルはそう答えてもう一度眠りに落ちたので、ニーナがもの問いたげに呆れて見つめていることに気づかなかった。

目が覚めたのは一一時ごろだった。家の中は静かだ。外では太陽が輝いている。

キッチンに朝食が用意されており、メモがあった。


すぐ戻ります。遊びに行ってきます。　ニーナ

ヴィクトルは顔を洗ってから、ミーシャを診療センターに連れていった獣医の置いていった名刺を取りあげて、電話をかけた。

「イリヤ・セミョーノヴィチ先生、お願いできますか？」

「はい、私ですが」柔らかくて心地いい響きだ。

「ペンギンの……ミーシャの飼い主なんですが」

「ああ、どうも」姿の見えない相手が答えた。「今の段階で申しあげられることはですね、ちょっと診たところ、かなり重症のインフルエンザだと思います。今晩レントゲンを撮りますから、そうしたらもっと具体的に申しあげられます」

「で、今はどんな状態でしょうか」

「変わりないようです」

「見舞いはできるんでしょうか」

「残念ですが、できません。お断りすることになってるんです。ご辛抱ください。毎日電話してくださって構いません。私が万事お知らせします」と医師は約束して電話を切った。

キッチンに戻って、冷めたゆで卵をふたつ食べ、お茶を飲んだ。テーブルの下からタイプライターを引っぱりだす。書きかけの〈十字架〉がタイプから突き出たままになっている。私営葬儀社「ブロードウェイ」社長、ボンダレンコ某。アイロニカルな苦笑が口元に浮かんだ。この人物の葬儀がどれほど「プロ」らしくおこなわれるか想像してみた。金メッキされたハンドル付きの壮麗な棺のそばにかしこまって立つ社員たちの姿。

「こいつは、どんなところに線を引かれてたっけ?」とふと疑問に思った。ボンダレンコの書類にあったことは何ひとつ覚えていなかった。

書類は三枚だった。線の引いてあるところを見る。

「一九九五年ヴャチェスラフ・ボンダレンコは、ベロゴロドーク村の共同墓地に、ばらばらに切断された身元不明の遺体を数体、埋葬した。その中には、前日行方不明となった組織犯罪取り締まり課のゴロヴァトコ大尉と、ウクライナ安全保障会議のプロチェンコ少佐が含まれていると考えられる。ボンダレンコは、他にもキエフ地区の村で一九九二年、九三年、九四年に同様の埋葬をおこなっている疑いがある」

アイロニカルな笑みは消えた。テーブルから立ちあがって、コーヒーを沸かし、バルコニーに出た。

せめて五分でも葬儀のテーマから逃れたくて、向かい側のアパートの窓を眺め、先日の夜、明かりがともっていたのはどの窓だったか見極めようとした。でも日中の明るい光のもとでは、どれも同じようにしか見えなかった。

65

翌朝もまたフェオファニヤへの電話で始まった。しかし、イリヤ・セミョーノヴィチ先生は席にいなかったので、すぐそばで聞いていたソーニャにかける言葉がなかった。

「三〇分もしたら、また電話するからね！」と約束する。

ソーニャは、黙ってバルコニーのドアのほうに行ってしまった。

「ねえ、今夜サーカスに行かない？」ニーナがソーニャのほうに身を屈めて言った。

ソーニャは首を横に振るだけだ。

キッチンに行って仕事をしようと思った矢先、電話が鳴り、ソーニャとニーナが電話のほうを振りむいた。ヴィクトルも獣医からの電話だろうと思って受話器をとったが、編集長からだった。

編集長はあからさまに不満をぶちまけてきた。「名哲学エッセイを書いてくれって頼んでるんじゃないんだよ！」ほとんど怒鳴り声だ。「淡々とプロらしく仕事をしてくれ。ただし急いで頼む！　たった五、六本の原稿を丸々一週間も待ってるわけにいかないんだ！……」暗い気持ちで話を聞き、頷いていた。「いいね？」やがて自分で自分の怒りに疲れたのだろう、編集長はもう落ちついた声になっている。「わかった」そう答えて電話を切る。編集長とのやりとりはどこまでもビジネス優先で、「こんにちは」も「さようなら」も必要なかった。

「だれだったの？」バルコニーのドア近くに立っていたニーナが聞いた。

「仕事のこと……」そう言って溜め息をつき、もう一度受話器を耳に当てた。

獣医に電話をかける。

今度はつかまった。

「お会いして話したいことがあります」と言う獣医の声には、ただならぬものが感じられた。

「そちらに伺いましょうか」

「いいえ、その必要はありません。どこか街なかでお会いしましょう。一一時にクレシチャーチクのカフェ『スタールィ・キエフ』でどうです」

「先生がわかるでしょうか」

「そんなに混んでないと思いますけど、念のため、私はグレーのレインコートを着てツイードの帽子を被っていきます。痩せて、背が低くて、髭を生やしています……」

「どうだって？」待ちきれずにソーニャが尋ねた。

「たぶん、よくなってると思う」ごまかして言った。「これからお医者さんのところに行ってくるから、そうしたらちゃんとわかるよ……」

実際にはいやな予感がした。悪い事態でもなければ、どうしてわざわざクレシチャーチクのカフェで会って話す必要があるだろうか。いい知らせなら、電話で言えばそれで足りるじゃないか！　それとも、もしかしたら、獣医が話したいのは金のことなのか。まだ一銭も払っていないし、ミーシャの入院費用だけで一日五〇ドルだからな！

カフェでの話はたぶん治療代のことだろうと思いいたり、胸をなでおろした。

外ではまた太陽が輝いている。正面玄関先で、近所の少女が二人、ゴム縄遊びをしていたので、避けて歩いた。

カフェの地階におりていくと、獣医はもう待っていた。高いテーブルの前に立ってコーヒーを飲んでいる。カフェには他にだれもいなかった。カウンターやコーヒー沸かしの番をしている者の姿すら見えない。

こちらに挨拶をすると、獣医はカウンターに行って、手のひらでどんどんと叩いた。

「コーヒーもうひとつ！」奥から姿をあらわした女性にそう言って、戻ってきた。

「で、どうなんですか」とヴィクトルが聞いた。

相手は溜め息をついてから口を切った。

「どうやらおたくのペットは、生まれつき心臓が悪いようです。インフルエンザを治すために荒療治をしたら、死んでしまうでしょう……。でもインフルエンザでなくとも、まず見込みはないというのは……」そう言って、待ち構えるようにヴィクトルのほうを見た。

「金の問題ですか」先回りして聞いた。

「金もそうです。でも、金は別にして、ひとえに原則的な問題で……。あなたご自身に関わることなんです。あのペットのことを、どれくらい大切に思ってるかと」

「はい、コーヒー！」うしろからカフェの女性がいきなり声をあげた。

自分のコーヒーをとりにカウンターに行ったときには、女性の姿はもうなかった。

「どれくらいかかるのか、それだけ教えてください！」テーブルに戻ったヴィクトルはそう言った。

「わかりました。なるべく簡単に説明しましょう」獣医は、まるでこれから長く息を止めるぞとでもいわんばかりに大きく息を吸いこんだ。「助かる手立てはひとつしかありません。心臓手術をすることです。もっと正確に言うと、心臓移植が必要だということです」

「でも、どうやって？」呆然となって相手を見つめた。「もうひとつのペンギンの心臓はどこで手に入れるんです？」

「そこが原則の問題だっていうところです」獣医は頷いた。「科学者病院で心臓病を専門にしている教授に相談したんですが……。三歳か四歳の子供の心臓を移植すればいいという結論に達しました」

ヴィクトルはコーヒーに噎《む》せて少しこぼしてしまい、テーブルにカップを置いた。

「少なくとも、手術がうまくいけば、数年は命を長らえることができます。そうでなければ……」獣医は両手を広げて見せた。「ええと、それから、他にお聞きになりたいだろうと思われることをお話ししておきますと、まず手術代ですが、全部で一万五〇〇〇ドルではいかがでしょうか。こういう手術としては、破格の安さです。それからドナーですね。それは、ご自身の伝手《つて》で探していただいてもいいですし、あるいは、任せるとおっしゃるのなら、われわれのほうで探してもかまいません。ドナーの代金を今すぐいくらと申しあげることはできません。まったく無料で提供される場合もあれば……」

「自分の伝手で探すって」わけがわからず、聞き返した。「どういう意味ですか」

「というのはですね、キエフには小児病院がいくつかありますが、どの病院にも『再生』セクションというのがあります」獣医は落ちつきはらっている。「そこの医者と知りあいになればいいんです。ただし、ペンギンに移植するって言わないほうがいいですね。三歳か四歳の子供の心臓が移植のために必要だとだけ言えばいい。謝礼をはずむと約束する。そうすれば、いろいろ教えてくれるでしょう……」

「そんなの、いやだ」ヴィクトルは首を横に振った。

「いや？　まあ、いいでしょう。落ちついてもう一度よく考えたほうがいい。私の電話番号はお持ちでしたね。ひとつだけ、あまり長いこと考えすぎないようお願いします。あなたの料金メーターがカチカチいってるんだから。じゃ、お電話お待ちしています！」

獣医がカフェを出ていき、一人残された。

冷めたコーヒーを飲み干す気にもなれない。少ししてからカフェを出て、クレシチャーチク大通りを中央郵便局のほうに向かってのろのろと歩きだした。

太陽が輝いていたが、気づかなかった。かたわらを人々が通りすぎていったが、それもまったく目に入らなかった。地下道で青年に肩を押されたときも振り返らなかったし、呼び止めて金をねだろうとした物乞い女のことは、自分から押しやってしまった。

「この人生、なんだかしっくりこない」自分の足元を見て歩きながら思った。「それとも人生そのものが変わっちまって、前と同じくシンプルでわかりやすく見えるのは外側だけなのか。中身はまるでメカニズムが壊れたみたいだ。見慣れたものだって、中身はどうなってるんだかわかったものじゃない。ウクライナのパンだろうと、公衆電話だろうと。何だろうと見慣れたものの表面を剝がすと、目に見えないよそよそしいものが隠れている。どの木をとっても、どの人をとっても、中に異質なものが潜んでいる。ただ子供のときから知っているような気がするだけだ」

旧レーニン博物館のそばを通るとき、ふいに立ち止まり、以前は気づかなかった細かい点を馴染みの街の風景に見つけようとするかのように、おかしな様子であちこち見回した。まず目にとまったのは、公園の階段のむこうに姿をあらわした鋼鉄製のアーチ状の記念碑で、それはふたつの民族の友好関係をあらわしていた。それから廃墟のようなフィルハーモニー・コンサートホール、絵に描いたフランスのシャンプーがたっぷり流れ落ちている広告板。「あなたの髪は嫉妬の的！」

広告板の下に、六二番の満員バスが止まった。乗客を数人降ろしただけで、バスはすぐに走りだした。停留所に残された人たちはかんかんに怒っている。バスは右に曲がり、ウラジーミル坂をおりていった。

バスを目で見送ってから、同じく坂をおりてポドルのほうに向かった。

ケーブルの駅と川船停留所をあとにする。ウラジーミル坂は、やがて平らになって、サガイダチヌィ通りに合流した。

「バフス」というバーのそばで立ち止まり、中に入った。

赤のドライワインをグラスでとり、それを持ってテーブルに座った。ワインにちょっと口をつけ、溜め息をついて考えた。

「どうしてよりによって子供の心臓なんだ？　なんで犬じゃだめなんだ？　いや、羊とか？」

隣のテーブルでは、若い男たちがビールの入ったジョッキにウォッカを注いでいる。

もう一口飲む。舌がワインの快い渋味を感じた。不安な気持ちや、ああでもないこうでもないと揺れる心がおさまり、落ちついてきた。

「たしかに」と考え続けた。「ペンギンのほうが、犬や羊なんかより、人間と共通するところはよっぽど多い。ペンギンも人間も、四本足じゃなくて、二本足で立つ直立の動物だからな……。ペンギンは人間と違って、四本足の祖先を持ったことがないんじゃなかったかな」

そしてピドパールィの書いていたことを思いだした――ペンギンについてこれまでに読んだことのある唯一の資料だ。思いだしたのは、ペンギンの場合、父親が子供を養い育てるということ、何年も誠実な夫でいるということ、太陽が出ているととても方向感覚がいいということ、集団生活の本能があるということ……。ピドパールィの部屋、煙の匂いも思いだした。それからまたミーシャのことに思いをめぐらせた。

一杯目を飲みおえ、ワインをおかわりした。若者たちがふらつく足取りでバーを出ていったので、一人きりになった。時計を見ると、一二時半だ。太陽が照りつけて、日差しがテーブルにグラスのシルエットを映し、上に散らかっているパン屑の小さな影を作っている。

「手術を受けさせなくちゃ」酔いがまわってきた頭で考えた。「やれることはすべて、やってもらおう、それがいい！　金は足りるだろう。タンスの上に置いてある金を使ってもいい。ソーニャのだけど、かまやしない……」

家に帰り、食事もとらずに寝てしまった。ニーナとソーニャはいなかった。

四時近くに目が覚めた。頭ががんがんする。

コーヒーを沸かし、いつもの席に座る。

頭痛がおさまり、熱いコーヒーを飲んで少し元気が戻ってきたところで、またミーシャのことを考えた。でも、酔いが消えると同時に、自信もなくなった。テーブルの下からタイプライターを出して、仕事で気をまぎらわせようとした。朝方かかってきた編集長の電話を思いだした。

「そうだ、編集長の言うとおりだ。書き直さなくちゃ……」そして、タイプライターに向かい、印字されるのを待っている白紙を前にして、しばらくじっとしていた。

それからファイルを手にとり、中の書類にざっと目を通す。残っているのは一件だけだったので、その内容をじっくり読んだ。

まもなくニーナとソーニャが帰ってきた。

「セルゲイのお母さんのとこに行ってたの」ソーニャのコートを脱がせながらニーナが言った。

「心配してた。もう二週間も電話がないんですって……」

「ミーシャは？」ソックスだけでキッチンに入ってきたソーニャが聞いた。

「スリッパをはいてきなさい！」ヴィクトルは厳しい声で言いつけたが、ソーニャが聞き分けよく洋服掛けの下からスリッパを取りだしているので、背中に向かってつけ加えた。「お医者さんはミーシャを治しましょうって約束してくれたよ。でもまだ入院してなくちゃいけないんだって」

「おみまいにいける？」ソーニャが聞いた。

「行けない。人間は入れないんだ……」

66

一日過ぎたが、フェオファニヤにまだ電話していなかった。最後の〈十字架〉を仕上げたので、編集長の差しむける使いの男が来るのを待っているのだ。

ニーナとソーニャはどこかに出かけたので、二人が留守の間に、ソーニャのドル札を勘定した。すると、四〇〇〇ドルちょっとあった。札束をゴムバンドでくくってまた厚いレンガのようにして、元の場所に戻した。それから自分の所持金を数え直したが、その大部分はペンギンが稼いだものだった。約一万ドル。

「電話しなきゃ……」とつぶやいたところで、玄関のチャイムが鳴った。

無口な使い走りは、年金生活に入っていてもおかしくない年齢で、古いラシャのコートを着た男だったが、ファイルを受け取って鞄にしまい、別のファイルをよこすと、頷いて階段を急いでおりていった。

うしろ姿を見送って、部屋に戻る。ファイルをキッチンのテーブルに投げ置き、電話のほうに行ったが、またしても途方にくれた。何かに引き止められるような感じなのだ。

「電話しなきゃ」とつぶやいたものの、そこから動かずに、ただ電話のほうを見ただけだった。まるで電話がひとりでに必要なところに通じて、ひとりでに必要なことを言ってくれるとでもいうように。

それでも、とうとう診療センターの電話番号をまわした。先生にかわってくれと頼むと、外出中だと言われ、驚くと同時にほっとした。

この日はもう電話をしなかった。仕事に精を出し、二人が帰ってくるまでに〈十字架〉を三つも書きあげた。あとふたつ書けば、編集長に電話できる。こんなに早く仕事をこなせるってところ、見せてやる！

翌朝リョーシャが電話してきた。

「兄貴、明日はすごく大事な葬式なんだ」

「その葬式はペンギン抜きでやるしかないと思う」受話器に向かってそう言って溜め息をついた。

「この間の葬式で風邪をこじらせて、病院から出てこれるかどうかもわからないんだ……」

意外な知らせに愕然としているらしいリョーシャに、何があったのか逐一話して聞かせると、リョーシャはこう言った。

「あのさ、俺が悪かったんなら、俺にけじめをつけさせてくれ。今ミーシャはどこにいるの？」

獣医の電話番号を教えた。

「わかった、あとで電話する！　気を落とすな！」リョーシャはこう言って電話を切った。

夜、本当に電話してきた。

「万事うまくいったよ」と励ますように言う。「連中が金の工面と手術関係のことを引き受ける。イリヤ・セミョーノヴィチって、ちゃんとした医者だ。これからはやつが毎日あんたに電話してきて、何でも報告するからな……。ついでだけど、明日の葬式、俺と行かない？　その後ちょっと追善供養に顔を出そうぜ……」思いがけなくリョーシャはそう言って誘った。

「俺が、何かい、ペンギンだってわけ？」ヴィクトルは哀しげな声で言った。

キッチンのタイプライターに戻り、急に希望が湧くとともに不安も抱えたことを感じた。どこかの連中が手術代を払うという——その連中がどこの馬の骨なのか、おおかた予想できそうだった。そして、その連中が心臓のドナーも見つけてやると言っているらしい。

ホラー映画は好きではなかったが、今感じているのはホラー映画を見るときに感じる恐怖そのものだ。

首を振ってそうした連想を断ち切ろうとしても、また「連中」のことを考えてしまう。どうして何もかも引き受ける気になったんだろう。まさか、それほどお人好しってわけでもあるまい。それとも、ものすごく動物好きだとか？　何か俺に借りがあるとか？　それともペンギンに借りがあるのか……？

いくつもの疑問符が飛び交うばかりでイヤになってしまったので、別のことを考えようとしたが、どうしても病気のペンギンのことを思ってしまう。

愛くるしい女性司会者が、南極のウクライナ科学研究基地に食料を積んだ飛行機を送るための寄付をお願いします、と呼びかけていたテレビ番組を思いだす。その番組を見ていたときに銀行口座と電話番号を控えた紙を探しだした。

突然いい考えがひらめいて、嬉しくなった。こう思いついたのである。「もしミーシャが生き延びられたら、その飛行機に乗せて南極に送り返してやろう、故郷に。寄付をするから、そのかわりミーシャを氷の世界に放してほしいって条件をつけるんだ——断られるわけがない……」

この思いつきにすっかり満足したせいか、意気込んで残りの〈十字架〉に取りくみ、二時間で仕上げてしまった。

夜、獣医が電話をしてきた。

「万事順調だってこと、ご存じですね」獣医が尋ねた。

「知ってます」

「なんと言ったらいいか……。その……。いい友人をお持ちで……。ペンギンの症状は安定してます。そろそろ手術の準備を始めます」

「あの、手術に必要なものはもう揃ってるんですか」

「いや、まだです。でも、数日中に揃うと思います。明日またお電話します」

その後、夕飯を食べているとき、ソーニャに、「ミーシャは？」と聞かれたが、「よくなってるよ」と胸をなでおろしながら答えることができた。

67

長いこと寝つけなかった。ソーニャもニーナもとっくに夢を見ているにちがいない。それなのに、まだ自分だけ電気を消したキッチンにいて、向かいのアパートの窓がひとつ、またひとつと明かりを消していくのを眺めている。

眠くない。不眠症というのではない。静かで落ちついたこの雰囲気を楽しみ、眠りにつこうとしている街を観察しているだけのこと。窓際の元の場所に戻った目覚ましがチクタクいう音も、もううるさく感じなかった。不安は過去のものになった。いつもはあれこれめぐらす考えも、あたりがあまりに静かなためか、今日はあまり進まず、ゆったりと自由に流れる川のようだ。

自分の生活が正常な軌道に戻ったような気がするのは、あまりにいろいろ衝撃的なことを体験し、暗い疑惑を呼ぶようないやなことを経験し、それをよくあることと考えるよりひたすら忘れてしまうほうが楽だという場面がいくつもあったせいだろう。こういう状態にいるときでなければ、将来を覗いてみるなどということはできない。未来なんて、前向きに突き進んでこそ手に入れられるもの。立ち止まって謎を解こうとしたり、人生の本質が変わったからといっていちいち考えこんだりしてはいられない。人生は道のようなもの。問題や困難を避けて「わき道」を進むなら、道は長くなる。道が長ければ、人生も長くなる。まさに結果よりもプロセスが大事なのだ。なぜなら、人生の最終的な結果というのはいつだって決まっている。「死」なのだから。

これまでも、閉じられたドアを手探りで避けながら「わき道」を歩いてきたが、そこに自分の触れた痕跡を残した。とはいえ、その痕跡は結局、自分自身の記憶、過去に留まっている。過去のことを考えても、もはや重苦しく感じないでいられた。

向かいのアパートで明かりのついている窓は三つだけ。さっきまで灯っていたのとは別の窓だった。あの窓のむこうでうごめいている人たちは、ヴィクトルのことになど何の関心もないだろう。できれば、この間の眠れない夜、目にしたあの女性の姿を見たかった。でもその人が見当たらなくても、安らかな気分は乱されなかった。

長寿の秘密がわかったような気がする。長く生きるためには安らかな気分でいることだ。安らかな気持ちでいられれば、それが自信の源になるし、自信が持てれば人生を長くする決断ができる。自信が未来に通じているのだ。

未来を覗いてみた。自分の穏やかな道を阻んでいるものが何なのか、こんなにはっきり見たのは生まれて初めてのような気がする。奇妙なことに、いずれも大好きなミーシャと間接的に関係していた。ミーシャ自身がどうのこうのというわけではないのだが、生活がややこしくなったそもそものきっかけが、他ならぬミーシャだった。もちろん、ミーシャがわざとそうしたわけではない。でも死亡率の高い人々の葬儀の世界に紛れこんだのもミーシャのためだったし、その人たちから逃れるのもミーシャの力に頼るしかない。ミーシャがいなくなれば、双眼鏡をぶらさげたリョーシャもいなくなり、両側に金のハンドルの付いた高価な棺も俺の人生から消えるだろう。人生に振りかかったふたつの悪のうち、ひとつ消えれば残りはひとつだけになる。それは仕事だ。でもこっちの悪にはもうとうに慣れているし、一ヵ月三〇〇ドルもらって哲学的な意味を補足してやるだけの「他人の悪」にすぎない。ここで俺は愚にもつかない脇役を演じているだけだ。

南極の白い氷に囲まれたミーシャの姿を想像して、ヴィクトルは微笑んだ。これぞ素晴らしい解決策というもんだ。ミーシャのためにも俺のためにもなる解決策。ためになるだけじゃない。俺たち、自由になれるんだ。手術さえうまくいってくれればいいんだが……。支払いを全部引き受けたあの「連中」が、ペンギンの消えたことに文句を言ったところで、何ができる。俺自身ですら知らない「庇護者」のいるこの俺をどうこうしようったって、連中に何ができるもんか。「庇護者」のことは、亡くなった〈ペンギンじゃないミーシャ〉や、やつのライバルだったチェカーリンまであんなに敬意をこめて話してたじゃないか。

耳の奥に、未来の生活が刻む穏やかで軽快なリズムが聞こえてくる。

そしてもう一度微笑んだ。
向かいのアパートは、最後の窓が電気を消したので、ほんのりと中庭に差しこんでいた月明かりが鮮やかになった。

68

春の数日が過ぎた。毎晩、獣医が電話をかけてきて、ミーシャの容態を知らせてくれる。ミーシャの気分は「安定」しているという。ヴィクトルの気分も、窓外の天気のように安定していた。ニーナはソーニャと朝早くからどこかに出かけてしまう――春らしさの感じられる場所に連れていってやろうと思いつき、二人で、学校の教科のように春を「勉強」しているのだった。二人ともこの遊びが気に入っているらしい。ヴィクトルは、二人が外出してくれるところが気に入っていた。心穏やかに仕事をすることができる。最近は〈十字架〉を書くのが早く楽になった。今は編集長から電話がかかってくるのを心待ちにしているところだ。編集長は褒めてくれるだろう。でも、まだ電話はない。だいたい獣医以外だれも電話してこない。警官のセルゲイは遠くにいる――セルゲイは、電話してきてもこちらに何も強制的にやらせようとしないたった一人の人間だ。他にあとだれが俺の人生のかげに隠れていたっけ。「重大な」葬儀の警備をしているリョーシャ？　あいつもまだ電話してくるだろう。これは間違いない。でもリョーシャだって悪い奴には見えない。どうせ、あいつも「わき道」人生を生きてるんだろう。自分の居場所を見つけてそこに陣取ってるだけ。たぶん今の時代、自分の居場所を見つけて陣取るだけでもたいしたことなんだろう。望むべくは、だれの恨みも買わないこと。そうでないと、とんでもないことになる――あまりにいい場所を取りすぎてるって思われるのが関の山だ……。

獣医は三時ごろ電話してきた。

「手術は昨晩おこなわれ、今のところまったく問題ありません。拒否反応も出ていません」

朗報を受けて、嬉しくなった。

「ありがとうございました。いつ引き取りに行けるでしょうか」

「すぐには無理だと思います。リハビリにおよそ六週間かかります……。でも連絡は絶やさないようにします。もしかしたら、もう少し早まるかもしれません……。様子を見ましょう」

電話を終えてから、コーヒーを沸かし、カップを持ってバルコニーに出た。日差しが顔に当たって、思わず目を細めた。驚くほど優しく涼やかな風が吹きつけ、さっと飛び去っていった。新鮮な空気、子供みたいに移り気な早春の太陽の暖かさが快く感じられた。驚くべき感触。はかないそよ風に連綿と降りそそぐ日差しの妙。暖かさと新鮮さ。これこそ生を呼び覚ますもの、地表に生を呼び起こすものだ。

コーヒーは薄かったが、今は濃いコーヒーを飲みたい気分ではなかった。濃いコーヒーは冬にふさわしいように思えた。冬眠、短い日照時間、暖を待ちわびる心。濃いコーヒーは、こうしたものと闘うために必要なのではないかという気がする。

「そろそろ南極大陸委員会に電話してもいいな」と考える。「俺みたいに暖かいところが好きな者はここにいればいいし、ミーシャは南極に行けばいいんだ」

客間に戻り、ガラスの枠におさまって壁にかかっているソーニャの絵「ペンギンのいる家族のポートレート」のそばでちょっと立ち止まった。

自分自身を誇りに思い、いい思いつきをしたことに誇りを感じて、微笑み、溜め息をついた。そのとき、他人の運命を決めるほうが自分自身の運命を決めるよりずっと楽だという考えが浮かんだ。自分の運命を変えようという試みはどれもこれも思わしくない結果になり、いっそう面倒臭いものになるだけだった。何を変えようとしても、その本質に関わりなく、かならず悪いほうに変わってしまうのがオチだった。

69

南極大陸委員会のオフィスは、飛行機工場管理局の建物の二階にあり、隣りあった二部屋を占めていたが、ドアには「党事務局」と書かれた古い時代のノスタルジックなプレートがかかっている。

そのオフィスに着いたのは一一時ごろだった。前もって電話し、面会の約束を取りつけておいた。電話でいきなりペンギンのことを持ち出すのはまずい——きっと変人か奇人だと思われるだろう。だから、ただスポンサーになりたいとだけ言っておいた。

飛行機工場の建物の玄関で五分ほど待たされて、ようやくグレーの背広を着た四五歳くらいの細身の男性が姿を現した。この人が南極大陸委員会代表のワレンチン・イワーノヴィチだった。

親切で愛想のいい男だ――愛想のよさというのは、おそらく寄付金を集めるという仕事柄、不可欠な資質なのだろう。まずコーヒーを振るまい、それから隣の部屋に通じるドアを開けた。

「もうしょっちゅう食料が送られてくるんですよ、まあ、ご覧ください！」代表は、身振りでこちらの注意を、いくつも並んでいる段ボール箱や、部屋のむこうの隅にばらばらに積まれている缶詰のほうに向けた。「委員会は、賞味期限のとっくに切れたものでも、すべて受け取っています。提供してくださるという志はありがたいですからね……。時には現金をいただくこともあります。たとえば、南部建設銀行は三〇〇ドル寄付してくれました。我々にはもちろん、現金のほうがずっとありがたいです。飛行機のガソリン代も要る、パイロットにも支払わなくちゃならない。パイロットたちは失業中なんですよ……」

話を聞きながら頷く。

初めにいたほうの部屋に戻って、代表は、これまでに集まった食料品目や寄付金の額の詳しく書かれたリストを取りだした。

それをぱらぱら眺めているうちに、いつも同じスポンサーが中国産の肉の缶詰を大量に送ってきていることに気がついた。

「あっちの部屋にあったのは、我々が持っているものすべてではないんです」代表はつけ加えた。「備品や暖かい衣服は別にしてあります。その他にヒマワリ油が二樽あります」

「出発はいつですか」

「五月九日、昔の戦勝記念日に出発する予定です。何度か離着陸しますので、事前に空港に通告しなければならないんです。ところで、恐れ入りますが、どのような形で援助していただけるのかお伺いしたいのですが。現金でしょうか、それとも食料でしょうか」

「現金ですが、ひとつ条件がありまして……」

「お伺いしましょう！」相手は刺すような鋭いまなざしでじっと見つめてきた。

「一年前、動物園からペンギンをもらい受けました。動物園が動物たちにどうしてももうエサをやれなくなって……。で、そのペンギンを南極に帰してやりたいんです。ペンギンにとって正常な環境である南極に。というのが、じつは私のお願いなんです……」

代表の明るいブルーの目に、アイロニーの火花がかすかに浮かんだ。でも顔の表情はヴィクトルの表情と同じく真剣そのものだった。二人はまるで「睨めっこ」をしているみたいにじっと互いを見つめあっていたが、しばらくして代表は目の前のテーブルに、思慮深そうな視線を落とし、そのまま目を上げずに聞いた。

「その乗客のためにいくらお出しくださるんでしょうか」

「二〇〇〇ドルです」

取引をしたくなかった。今のところ、すべてうまく運んでいるし、代表の目に浮かんだアイロニーとも不信の念ともつかないかすかな火花も、話の実務的な流れになんら影響していない。

相手はわずかな間、口をつぐんで考えていた。

「ということは、現金で二〇〇〇ドルということですね」こちらの目を見ながら聞き返した。

頷いた。

「わかりました」委員会の代表は言った。「その乗客、お引き受けしましょう……。二、三日中に金を持ってきていただけますか？　ペンギンは、出発の朝、九時までに連れてきて下さい。出発は一二時ごろになります」

日の降りそそぐ通りを歩いて家へ帰る道々、おかしなことに、少し不安がっている自分を感じていた。ミーシャの運命を決めるのがあっけないほど簡単だったせいか、またしても自分自身の運命について考えこむことになった。五月九日には一人になってしまう。ニーナとソーニャが一緒にいるとはいえ、二人は自分とは別に、どうも自律的に存在しているようなので、二人がいてもミーシャのことは忘れられないだろう。

ニーナとソーニャに愛されたいとは思わなかった。こちらも二人に愛着を持っているわけではない。ただ家族ごっこを引き延ばしているだけなのだろうか。そうかもしれない。でも、この家族ごっこをニーナも喜んでいるように見える。ソーニャはもちろん、何もわかっちゃいない。ソーニャの生活に大人がいるのはごく自然なこと。自分の両親については何も覚えていないようだ。ソもしかしたら、ニーナのことも、ソーニャのことも、少しは愛する努力をしなくちゃいけないんだろうか。二人が同じような愛情で応えてくれるように。この奇妙な関係が本物の家族関係になるように。

70

四月も終わりに近づいている。暖かくなるとともに青々としてきた街では、今にもマロニエの花が咲きそうだった。それなのに生活は、進み方が遅くなったように思える。この間来た編集長の使い走りは、できあがった〈十字架〉原稿の入ったファイルを受けとったが、かわりを何も置いていかなかった。編集長に電話すると、「一時的に仕事がない」と言われた。思いもかけない仕事の空白に、不意打ちを食わされた思いだった。生活の調子が乱れたような気がする。ここまでは何もかも予定どおり進んでいた。二〇〇〇ドルはとっくに南極大陸委員会代表に渡してあったし、獣医は毎日電話してきて回復に向かっているミーシャの容態を知らせてくれた。それなのに、この空白とは青天の霹靂だ……。

ニーナはまた別荘を買おうと言いだし、広告の載っている新聞を持ってくるようになった。ニーナがマークしておいた広告を、辛抱強く全部読んだ。ちゃんと決めて、三人で夏を気持ちよく過ごせるよう、できるだけ早く庭付きの家を買うべきだと思った。でも、そう思う一方で、なんだか無気力感に襲われるのだった。

「五月九日が過ぎたら、すべて片《かた》がつくだろう」仕事がなくてふがいない状況にいることと、ミーシャが旅立つことを結びつけて考えていた。

ソーニャがペンギンのことを尋ねる度合いはだんだん少なくなってきて、これもありがたかった。今では、ソーニャの生活からペンギンがいなくなってもまず悲惨なことにはならないな、と読んでいた。本当は、自分のほうが心配だった。自分がかわいそうでならない。どういう場面で自分がミーシャのことを懐かしく思うかということまで、たやすく想像できてしまう。

とはいえ、もはや自分自身の力では変えることのできない決定をしたことで気分がいいのだし、自分をかわいそうがるのは早すぎる、と思い直した。

どういうわけかリョーシャが電話をよこした。

「なにもかもうまくいってる！　二週間したら、だれかの追善供養の会に出て、ペンギンの健康を祝って飲もうぜ！」

「そうだな」とヴィクトルは考え、初めて長いこと微笑んだ。「飲もう、かならず飲もう！」

　いつものようにセルゲイの母親のところに行って帰ってきたニーナは、小包の引渡し票を持ってきた。

「変ねえ」とニーナが言った。「セルゲイおじさんからの小包のようだけれど、字が違う……。それに、見て、交換レートで二〇ドル分の関税！　まるで外国郵便みたい」

「じっさい外国じゃないか」なまくらなナイフでカツレツを切りながら、暗い表情で言った。

「おにく、かたい！」ソーニャが文句を言った。

「貸してごらん、小さく切ってあげよう！」ヴィクトルはそう言いながら、少女の皿に屈みこんでカツレツを切り刻んだ。

「ナイフを研がなくちゃ」とニーナ。

「そのうち研いどくよ」

　それからお茶を飲んだ。

「明日いっしょに郵便局に行ってくれる？」とニーナが聞いた。「ひょっとして小包が重いといけないから」

「いいよ」

　その夜、ソーニャはまたテレビの前で寝てしまった。二人はソーニャをソファに寝かせて毛布をかけ、ボリュームを下げて、メル・ギブソンのヒット作を血まみれの結末まで見てから、ようやく寝についた。

翌朝、郵便局で二〇ドル払って小包を受け取ったが、かなり重い段ボールで、斜めに「注意！こわれもの」と書かれた紙が貼ってある。

「これ、セルゲイおじさんの字じゃない！」箱に書いてある宛先を見て、ニーナは自信ありげに言った。

小包を手にとると、中でがちゃがちゃ音がする。

もう一度、表の注意書きを見て、首を振った。

「中で何か割れてるみたいだな……」

「それじゃ、二〇ドル払ったの、無駄だったのね！」ニーナは不満げに言った。「仕方ない。まずうちに持って帰って中を見てみましょう。セルゲイのお母さんのところに直接持っていっても意味ないでしょ。割れてたら、悲しむだけよ……」

二人は家に帰り、ソーニャの新しい絵を褒めてから、キッチンのテーブルで箱を開け、中から、モスグリーンの奇妙な壺を取りだした。四面体で蓋が付いており、テープをぐるぐる巻きつけてある。

「銅でできてるのかな」壺をじっと眺めながら、独り言を言った。

「中に何か入ってる」とニーナが言った。「あ！　見て、手紙よ！」

二つ折りになった手紙を手にとって広げた。

ちょっとした沈黙が訪れ、ヴィクトルはニーナが手紙を読むのを見ていた。唇が震え、顔が石のようになった。両手がわなわなと震えだした。黙って手紙をよこした。

拝啓
警察庁クラスノプレスネンスク署の委任を受け、一筆書かせていただきます。おそらく、小生もウクライナのドネツク出身だからでしょう。またセルゲイ君と小生が親しくしていたためでもありましょう。

セルゲイ君は素晴らしい人でした。他になんと書いたらいいかわかりません。残念なことに、セルゲイ君は職務遂行中に亡くなりました。モスクワでのことではありませんでした。セルゲイ君は行きたくなかったようですが、命令ですから、つべこべ言えません。

内務省都市対策局財務部は、厄介な選択を迫りました。支出できるのは、葬儀の費用だけ（ただし、かなり遠方のオレホヴォ＝ズエヴォ近郊）か、あるいは火葬費用だというのです。ウクライナ出身の者たちで、火葬のほうがいいと考えました。何はともあれ、故郷に葬ることができますから。

謹んでお悔やみを申しあげます。

クラスノプレスネンスク署代表　ニコライ・プロホレンコ

読みおえてから、もう一度、四面体の壺を見た。ニーナは廊下に行った。泣いている声が聞こえてくる。

重い壺を両手で用心深く抱え、少し振ってみると、中で鈍くて「脆そうな」音がした。テーブルに壺を戻した。

「なんて哀しいガラガラだ。この遺灰がセルゲイのすべてだなんて……」暗澹たる思いだった。

洗面所から水の流れる音がして、しばらくするとニーナがキッチンに戻ってきた。顔は泣き濡れ、目は赤い。

「セルゲイのお母さんには何も言わないでおく……。そんなことしたら、お母さん、死んじゃうから」意を決したようにニーナは言った。「私たちでお葬式をしましょう」

ヴィクトルは頷いた。

71

数日が過ぎた。だらだらと時が流れて心に重くのしかかり、よく晴れた暖かい天気だったが、家にじっとしていた。テーブルの下からタイプライターを出し、何か書いてみようと何回か試みたものの、白い紙を見ると、思考力も想像力もまるっきり麻痺したようになってしまう。

「新聞でも読んでみるか」新聞の犯罪ルポが人気を博していることを思いだした。「何か話のネタとか面白そうな人とか見つかるかもしれない……」

最初のころ、新聞記事から〈十字架〉に適していそうな人物を「釣りあげて」いたことを思いだした。あの人たちは今どこにいるんだろう。

モスグリーンの四面体の壺は窓際に置いてある——小包を受け取った日、テーブルで昼食をとるために壺を移してからずっとそこにある。ときどき壺に目をやってセルゲイのことを思い、別荘で過ごした正月や、ペンギンと行った冬の氷上のピクニックを思いだした。あのときの幸せは永遠に失われてしまったという不思議な感覚が生まれた。この人工緑青のモスグリーン、この奇妙な壺を見ていると、セルゲイの地上での生命の名残が新しい外見を得て目の前にこうしてある、ということが信じられない。いや、この壺は単に奇妙なモノであるにすぎず、別世界からやってきた寡黙な風来坊のように思えた。それがキッチンの窓辺に置いてあるというのは、困ったことではあったが、だからといって反発を覚えるというほどでもなかった。ビロードのような緑青は生きているように見えたし、壺自体、その中身にもかかわらず、まるで息を吹きこまれたもののように感じられる。だから、この壺がセルゲイの生と死に何らかのかかわりがあるなんて、ただただ信じられなかった。「いや、セルゲイがいないというなら、もう金輪際、存在してないんだ。この壺の中にも」と考えた。

夕方近くニーナとソーニャが帰ってきた。

「しらないひとに、ヴィクトルおじさんのこと、きかれたよ！」廊下に出迎えたヴィクトルに、ソーニャが言った。靴を履き替えている。

「どんな人？」驚いて尋ねた。

「ふとったおにいさん！」

びっくりしてニーナのほうに目をやった。

「あなたの知りあいでしょ」見つめられて、それに答えるようにニーナが言った。「あなたが元気かとか、何をしてる、とか聞かれただけ……」

「アイスクリーム、おごってくれたよ！」ソーニャがつけ加えた。

夕食にニーナはチキンを焼いた。そのあと、お茶を飲んでいるとき、ハンドバッグから新聞広告を取りだした。

「ねえ見て！」ニーナはその広告を差しだした。「うってつけなのよ。コンチャ＝ザスパにあって、一〇〇平方メートルで、それほど高くないの！」

その新聞広告に書いてあることを読んだ。二階建ての別荘、四部屋、一〇〇平方メートル、庭付き、一万二〇〇〇ドル。

「そうだね」頷いて言った。「電話してみなくちゃ……」

ところが夕食が終わるとすぐに電話が鳴った。獣医からの電話だったので、たちまち別荘のことは忘れてしまった。

「おたくのペットはもう病棟を歩きまわっていますよ！」と獣医は言った。

「引き取れますか？」

「そうですね、あと一〇日ほど私たちに面倒を見させていただきたいと思います」

「でも、五月七日か八日には引き取れますよね」

「そう思いますが……」

受話器を置いて、ほっと溜め息をついた。バルコニーのほうを振りむいた——外はまだ明るい。

「ちょっと外に行ってくる。一〇分くらい散歩してくるよ」サンダルを履きながら大きな声でそう言った。

72

さらに二日経ち、旧戦勝記念日が近づいてきた。

結局はコンチャ＝ザスパの別荘の件で電話をかけ、今度の日曜日に見に行くことにしていた。

ニーナは、絶対ひと目で気に入ると思う、と言っている。

「こんな天気だから、どんな別荘だって、天国みたいに見えるだろう」コーヒーの入ったカップを持ってバルコニーにいたヴィクトルは思った。

昼時だったが、太陽がぎらぎらと照りつけていた。弱々しい風がかすかに感じられるが、その風まで生暖かいので、大きなドライヤーから吹いてくるような気がする。

「五月九日が過ぎたら、編集長に電話しよう」と考えた。「仕事をくれるといいんだけどな、そうじゃないと、暇をもてあましちゃう。それとも仕事なんかほったらかして、三人で二週間くらいクリミアに行くか。そうしたら別荘はどうなる。いや、まず別荘の件にケリをつけて、買ってからクリミアに行くか」

二人は五時前に帰ってきた。

「何してきたの？」

「水の公園に行って、ボートに乗ったの」とニーナが答えた。

「そうなの！　もうおよいでるひともいたよ！」ソーニャが口を挟んだ。

「またあなたのお友達を見かけたわ」とニーナ。「なんか変な人……」

「友達って？」

「ほら、アイスクリームを奢ってくれて、あなたのこと、いろいろ聞いた人」

ヴィクトルは考えこんだ。

「どんな奴だった？」しばらくして聞いた。

「小太りで、三〇くらいかな……」ニーナは肩をすくめた。「どうってことない人……。地下鉄を出たとこのカフェにいたら、そばに座ってきたの」

「ヴィクトルおじさんが、わたしのことすきかどうか、きいたよ！」とソーニャ。「だから、あんまりっていった！」

不安が高まっていくのを感じた。古い知りあいにも、三〇がらみの太ったやつなんて一人もいない。

「他に何か聞かれた？」

ニーナは首をかしげて思いだそうとした。

「あなたの仕事のこと。仕事は気に入ってるみたいかって……。それから、まだ小説を書いてるのかとも聞かれた……。あなたの小説、前はとても好きだったんだって。そうだ、何でもいいからあなたの原稿を貸してもらえないかって。でもあなたに知られないようにしたいって。作家は原稿を人に読まれるのが好きじゃないからとか……」

「で、何て答えたの？」ニーナを冷たい目で見て聞いた。

「さがすっていったよ！」ニーナの代わりにソーニャが答えた。

「そんなこと、言わないわよ。その人、キエフは小さな街だから、また会うでしょうだって。原稿のことは、私、何も言わなかった」

いったいだれだろう。それに、なんで俺のことを根掘り葉掘り聞くんだ？

自分の疑問に答えられずに、肩をすくめた。バルコニーに出て手摺に肘をつき、下のほう、中庭を見た。アスファルトで補強した正方形の広場が見える。白い鉄筋コンクリートの柱に渡したロープに洗濯物が干してあり、そばで子供たちが遊んでいる。左手には白ペンキの塗られたゴミ置き場があり、その壁際には、ブリキ製のタンクが置いてある。ゴミ置き場のむこうは、このバルコニーからは見えないが、さらに左のほうには空き地が広がっており、そこには鳩小屋が三つあった。冬にときどき、ミーシャとソーニャを連れてあの空き地に行ったものだ。よく見知っている風景。上から見た春の一場面である。

ふたたび例の、太っちょの若い知りたがり屋のことを考えた。

「俺たちのこと見張ってるんじゃないだろうか」ふとそう思い、中庭に目を凝らした。「きっとそうだ、でなけりゃ、俺たちが家族じゃないようなものだって、わかるはずがない」

玄関近くのベンチに老人が二人腰かけており、隣の玄関のそばにも何人か人が座っている。向かいのアパートの脇では、少年たちが集まって、大声で何か言いあっている。

だれも、何も、怪しいものはない。

安心して部屋に戻った。

夜になっても眠れなかった。寝室の暗がりの中で、ニーナの静かな寝息を聞き、ぬくもりを感じながら、自分の生活に興味を示す好奇心の強い男のことを考えていた。だれなんだ。どこから現れたんだろう。それに、俺がソーニャのことを好きか、なんて変な質問をするとは、どういうことなんだろう。

考えるほどに心が動揺して、ますます落ちつかなくなり、眠れなくなってくる。

「たぶんだれかが俺たちのこと見張ってるんだ。俺のことを見張ってるに違いない……。なるべく外に出ないようにしよう」

ニーナを起こさないように注意して布団から出て、ガウンをはおり、バルコニーに出る。

気持ちのいい涼しさが上から、星をちりばめた空からおりてくるようだった。眠っている街の張りつめた静けさが、耳に痛いほど感じられる。向かいの窓はどれも暗かった。中庭を見おろすと、動きを止めた夜景は、俳優たちに見捨てられた舞台装置を思わせる。

「いや、そうじゃない」と考えた。「もし真剣に見張る気なら、今この瞬間だって、どこか隣の玄関あたりにライトを消した車が止まっててもよさそうなもんだ……」

手摺から身を乗りだして、アパートの建物に沿ってあたりを見回すと、正面玄関に通じるアプローチに車が二台駐車しているのが見えた。思わず自分で笑ってしまった——ストーカーがこんな近くにいるとは。

寝室に戻ったが、あたりが明るくなるころまで寝つけなかった。

翌朝、濃いコーヒーを飲んで自分を奮いたたせ、「ぴりぴりするほどの気力」を取り戻して、シャワーを浴び、髭を剃った。

朝食後、ニーナとソーニャが外出の用意を始めたので、聞いた。

「今日はどこ行くの?」

「もう一度、水の公園よ。いいところなの。アトラクションももうやってるし……」

二人が部屋を出るとすぐ、キッチンの窓ガラスに身を寄せ、注意深く中庭を見回してから、正面玄関に視線を落とした。二人が出てくるのを待って、ふたたび中庭を眺めた。向かいのアパートのそばにあるベンチから、ずんぐりした体格のあまり背の高くない男が立ちあがって、停留所に向かう二人のあとをゆっくりついていく。二〇メートルほど行ったところで、男は立ち止まってうしろを振りむいた。車(「モスクヴィチ=コンビ」だ)が近づき男が助手席に乗りこむと、車は走り去った。

たった今目にしたことに呆然となりながら、急いで靴を履き、部屋を飛びだした。

バス停に着いたが、だれもいない——バスは行ったばかりのようだ。通りがかりの車を止めて乗せてもらい、五分後にはもう地下鉄のエスカレーターをおりていた。

この妙ちくりんな追跡劇のことや次々と浮かぶ疑問を考えれば考えるほど、自分が茫然自失の状態になっていることを強く自覚した。だぶだぶのTシャツを着た男。「カッコいい」男なら絶対乗りたがらないような車——こういったことと、若い太っちょの知りたがり屋について二度目にニーナに聞いたときに感じた不安と恐怖が、どうしても頭の中で結びつかない。

でも、そうはいっても、どんなに奇妙なことのように見えようと、だれかがニーナのあとを尾《つ》け、町のどこかで偶然の出会いを装って俺のことをあれこれ聞きだそうとしているのは事実だ。つまり、だれかが本当に俺に興味を持っているということ。ひとつだけ胸を撫でおろせることがあるとすれば、それはこの謎めいた出来事には、スポーツウェアを着て頭を刈り上げた連中、外国の新車を乗り回す連中が関与していないらしいということだ。

そういう連中がいないのなら、何も怖がる必要はない。しかし、謎は謎だ。解き明かさなければ。

地下鉄に乗ったところで、このゲームがけっこう気に入っている自分に気づいた。というより、自分がどういう状況にいるのか自分の力でつきとめられそうだというところが気に入っているのだ。自信が戻ってきた。ともかく「庇護者」がついているということをもう一度思いだした。もっとも、なぜ「庇護者」がいるのかという点はいまだにまったくわからなかったけれど。でもかつて、あれほど敬意をこめて〈ペンギンじゃないミーシャ〉もチェカーリンも話していたのだから、その「庇護者」は存在するのだろうし、何かから守ってくれているのだろう。

地下鉄の駅を出て右に曲がり、サングラスが何十も並べてあるスタンドの前で立ち止まった。スタンドの左側には、折りたたみ椅子に、自分もサングラスをかけた二〇歳くらいの女の子がけだるそうに座っている。

しばらく考えてから、ちょっと流行遅れの「雫の形をした」サングラスを試しにかけてみて、それから「メイド・イン・タイワン」も試した。最後にひとつ選んで金を払い、買ったサングラスをその場でかけた。

シャシルィクの匂いが漂ってくる。ウィークデイだというのに、水の公園の青空市はかなり賑わっており、歩道に置いてあるテーブルの大部分に人が座り、くつろいでいる。ヴィクトルは空いているテーブルを見つけてコーヒーとコニャックを注文し、サングラスをはずさずにあたりを見回した。

ニーナとソーニャの姿は見当たらなかったが、そのかわり知っている顔を見つけた――何度か「重大な」葬儀で見かけた四〇歳くらいの男だ。男は隣のカフェにいて、短めの青いワンピースにベルトを締めた、背の高いエレガントな女と一緒にテーブルについていた。二人はビールを飲みながら静かに話している。

数分の間二人を観察してから、またまわりを見回した。

ウェイトレスがコーヒーとコニャックを持ってきて、その場で支払うよう言った。ウェイトレスが行ってしまうと、まずコニャック、それからコーヒーを啜り、しばらくソーニャとニーナのことを忘れた。

「あと四日したらミーシャを送り出さなくちゃならないんだ」と考えた。「それにしても、どこから移植用の心臓を手に入れたんだろう」

三〇分ほどしてから、ボート発着所までぶらぶら歩いていき、それから地下鉄の駅に戻って、水の公園のもう一方の側に足を延ばした。そちらにも鳥の巣のように夏用のカフェが散在している。午後はさほど人が多くなかった。入り江にかかっている橋まで行ってみたが、その先は砂浜とグラウンドがあるだけなので、引き返す。地下鉄から遠い場所にあるカフェに入ってペプシを注文し、またあたりを見回した。

「この辺にいるはずだがなあ」とつぶやき、何十というテーブルについている人々の姿や顔をチェックする。

すると、並木道のそばの草むらで遊んでいる少女が目に入った。並木道には等間隔で木のベンチが置いてある。女の子のいるところまで、ここから一五〇メートルくらいだ。女の子のすぐそばのベンチには、こちらに背を向けて人が座っている。頭のうしろがふたつ見えるだけだ。

ペプシを飲み残したまま立ちあがり、二本の並木道の間の草むらを少女のほうに向かって歩いていったが、二〇歩か三〇歩行っただけでもう、ソーニャだとはっきりわかった。緑の草むらで何か探すか、草の「勉強」をしている様子だ。

立ち止まってカフェに戻り、トイレに行く小道を歩きだした——そこからのほうが、ベンチに座っている人たちの顔がよく見えそうだった。

トイレの入り口で立ち止まって振りかえる。もっとよく見ようとサングラスを上げた。ベンチに座っているのはニーナと、だぶだぶのTシャツを着たあの男だった。穏やかに話している。正確に言うなら、男が何か話し、ニーナはときどき相槌を打ちながら聞いている。

目立たないようにするため、トイレに入る。少しの間そこにいてから出てきて、カフェに戻った。歩きながら二人のほうをちらっと見た——今度はニーナが何か話し、男が聞いている。

突然、自分のことを馬鹿じゃないかと感じた。この追跡にぱったり興味を失い、こういうことになった理由がひどく陳腐なものに思えてきた——この男はただニーナが好きで、口説いているだけなのではないか。ただ、ニーナがいつも女の子を連れているので結婚していると思いこみ、ドン・ファンのような行動をとったあかつきにどれくらい成功する見込みがあるか、それを知ろうとして状況を探っているのではないか。たしかにこういう場合、うまく女と親しくなるには、亭主の古い知りあいだと名乗るのが一番てっとり早いだろう。

「そういうことなら」地下鉄の駅の階段を上りながら、ヴィクトルは思った。「がんばってよ、太っちょ君！」

ニーナとソーニャが帰ってきたときには、ヴィクトルはもう家にいた。

「お出かけはどうだった？」

「楽しかった」ニーナはヤカンを火にかけながら答えた。「すごくいい天気だったし！　家にじっとしてるなんて、ほんと、もったいない！」

「どっちみち明後日、遠くまで出かけるんだから、気を紛らすさ！」

「明後日？」ニーナが聞き返した。

「そうだよ、別荘を見にいくんだ」

「そうだった！　忘れてたわ。お茶飲む？」

「ああ」ヴィクトルは頷いた。「ところで、今日は俺の旧友に会わなかった？」

「また同じ人に会った」ニーナは落ちついて答え、肩をすくめた。「コーリャっていって……。ずっと自分のこと、しゃべってた。子供のころ、作家になりたくて、ジャーナリズムの勉強をして……。結婚に失敗して……」

「俺のこと、いろいろ聞かなかった？」

「いいえ、あなたの写真を持ってきてほしいって頼まれたけど。見たいんだって、最近、変わったかどうか。写真、持ってきてくれたらアイス奢るって言われた」

「なんだ、馬鹿か？」だれかに聞くというよりは、自問するように、声に出して言った。「なんで俺の写真が要るんだ？」

ニーナはまた肩をすくめた。

「で、会う約束したの？」ニーナの目をじっと見つめて聞いた。

「約束はしなかったけど、明日、水の公園にまた行くかもしれないって言った」

「そういうことか」ヴィクトルは冷たい声で言った。「写真やるよ」

ニーナは驚いて彼のほうを見た。

「どうしたのよ？」と怒ったような声で言った。「じゃあ、あなたの知りあいだっていう人から逃げだせばよかったの、そう？」

何も言わずにキッチンを出た。客間の床に座りこんでバービー人形のプラスチックのおうちで遊んでいるソーニャのわきを通り、寝室に行ってドアを閉め、サイドテーブルから古い紙挟みを取りだして、中に入っている写真の束を絨毯に振りだした。何枚も写真を見ていき、そのうちの一枚を横に取り分けた。それは、昔のガールフレンドのニーカと一緒に写っている写真だった。他の写真を元に戻し、ハサミで、自分の写っているところをニーカから切り離した。それを持って鏡のところに行き、今の自分と写真に写っている当時の自分を見比べた。何かが変わっていたが、何なのかはわからず、言葉では説明できない。写真は四年ほど前に、クレシチャーチクの写真館で撮ったものだった。

「これ持ってろよ！」キッチンに戻り、切りとった写真をニーナに差しだした。

ニーナがいぶかしげに見つめた。

「いいから持ってろ！　頼まれたら、やればいい！」なるべく優しい声になるよう努めて言った。

「ついでに、俺からよろしくって言っといて！」

ニーナは写真を受けとってしばらく興味深げに見ていたが、それから廊下に出て、洋服掛けにかかっているハンドバッグの中にしまった。

74

翌朝、二人が出かけるのを待って、寝室のタンスの上から黒いバッグをおろし、中から、まだプレゼント用の包装紙に包まれたままになっているピストルを取りだした。ずしりと重い金属の冷たさで、手のひらの皮膚がやけどしそうだった。彫り物をしてある柄を握ってピストルを目の前で構え、タンスの扉についている鏡に映った自分に向ける。

そういえば、ときおりミーシャがこの大きな鏡の前に立って自分の姿をじっと眺めていたっけ。どうしてあんなこと、してたのかな。独りぼっちだからか。仲間がいなかったからか。

腕をおろした。手のひらがしくしく疼いて、なんだか結びつかないはずのふたつの成分に化学反応が起こったような感じだ。絨毯にピストルを置き、手のひらを顔に持っていった。手のひらは驚くほど白くて、まるで金属の冷たさと重さに負けて血液がどこかに追いやられてしまったみたいだ。

溜め息をついて、床から立ちあがった。屈みこんでピストルを拾い、ジーンズのポケットにしまった。そしてもう一度大きな鏡を見ると、ポケットから黒い柄の部分が顔を出し、ピストルの形もくっきり浮き出ている。

タンスを開けて、フードの付いた青い着古しのアノラックを見つけてはおり、また鏡を見る——今度は大丈夫。ただ、部屋の絨毯にあたる日差しからすると、アノラックを着るような天気じゃなさそうだ。夏みたいに暑い一日になるだろう。

アノラックのファスナーをしめて出かける。

水の公園は今日もかなりの人出だ。

「土曜だからな」と思い、歩道沿いのカフェのテーブルについた。

まわりを見ると、自分の他にも何人か、ちぐはぐな格好をしている人たちがいるので、ほっとした。変人はどこにでもいるものだ。みながみな、武器を隠すためにあんな格好をしているわけじゃあるまい！　ほとんど冬物のナイロンのジャケットを着ているやつもいる。あいつは俺よりずっと年上のようだから、年のせいでボケてるってことは大いにあるが。

「コーヒーとコニャック五〇グラム」注文を受ける姿勢でじっと畏まっているウェイターに言った。

地下鉄駅の近くの広場はテーブルや売店が所狭しと並んでいたが、そこに思いがけず影が差した。空を見上げると、雲が浮かんでいるので嬉しくなった。天気のほうが俺の格好に合わせてくれるらしい。

コーヒーとコニャックが来るまで、周囲の様子をさっきより注意深く眺めた。ニーナとソーニャの姿は見当たらなかったが、このあたりのどこかにいることは間違いないので、とくに心配しなかった。

さらに一五分そこにいて、それから並木道を歩いてテニスコートの横を通りすぎ、レストラン「狩人」の廃屋まで行って、戻ってきた。それから橋の下を歩いて公園のもう一方の側に行き、並木道にいくつも並んでいるベンチのそばを歩いた。そのうちのひとつは昨日、なぜか好奇心の強いコーリャがニーナと座っていたベンチである。

「まあいいや」左右を見ながら思った。「どうして俺や俺の写真がやつに必要なのか、じきにわかるさ……」

並木道が終わって細い道になったので、引き返した。それから川幅の狭くなっているところに渡した橋を、途中まで渡って立ち止まり、欄干に肘をかけた。右手には、レストラン「ムルィン」がやや陰気な感じで川面に突きだすように構えている。広いバルコニーがあり、そこのテーブルで何人か食事をしているが、その中に探している人の姿はなかった。レストランの駐車場には車体の長いシルバーのリンカーンが一台止まっていて、亡くなった〈ペンギンじゃないミーシャ〉が持っていたのに似ていた。

また太陽が覗いた。急に太陽が顔を出したので、白黒写真がカラーの絵葉書に変わったように感じられた。水が生き返ったようになり、エメラルドのように輝きだした。欄干の白いセメントが黄色く見え、手のひらに感じられるそのざらざらした感触のほかに、セメントの奥深くから暖かさがたちのぼってくるような気がする。

先ほどの歩道沿いのカフェに戻りかけたとき、そこのテーブルにニーナとソーニャがいるのを目にして、慌てて立ち止まった。二人だけだ。ソーニャの前には、カラフルなアイスクリームが三つも載ったパフェがある。ニーナはコーヒーを飲んでいる。

「知りたがり屋の太っちょはどこだろう?」

あたりを見回した。

二人の座っているところから三〇メートルほど離れたテーブルを選んで腰をおろし、コーヒーを注文した。

二人は何かおしゃべりをしている。ときどきニーナが地下鉄の駅のほうを振りかえる。

一五分も経っただろうか。コーヒーは飲んでしまった。じっと座って、頭に浮かぶまま場違いな思い出にひたった。

なにげなくもう一度ニーナとソーニャのほうを振りむくと、今度は太っちょと三人で座っていて、ウェイトレスがコーヒーを持ってきたところだった。

三人のテーブルに目を凝らし、その動きを見守った。ソーニャは口をつぐんでおり、ニーナと太っちょが何か楽しそうに話している。太っちょはひっきりなしに口を大きく開けて笑っており、そのせいで、ただでさえ丸い顔がますます丸く見えた。ひょいと白いサマージャケットのポケットからチョコレートを出してニーナに渡した。ニーナはテーブルの上で包み紙を広げだした。広げられた銀紙に溶けたチョコレートがくっついているのが見える。ニーナは、銀紙を広げたチョコレートを口に持っていって、その一部を齧り取り、残りを太っちょに渡した。

ヴィクトルは不快になって顔をそむけた。ずっと見張っていたので首が疲れて痛くなった。片手でしばらく首のうしろを揉んで、また三人のテーブルのほうを向く。

太っちょがどこかに誘っているようだ。プラスチックの椅子から立ちあがり、控えめに身振り手振りをまじえながら何か言っている。

ニーナとソーニャも立ちあがり、三人そろってこちらにやってくる。身を硬くした。一瞬どうやって隠れたらいいか迷い、テーブルに体を伏せるようにして、歩道の空いているほうに背を向けていた。今にも三人はそこを通るはずだ。

いきなり椅子をうしろにずらして、自分の足元に屈みこんだ。靴に手を伸ばして、ゆるんだ靴紐を結びなおす振りをする。

「サーカス、好き?」背後で、男の猫撫で声が聞こえてきた。

「すき」とソーニャの声がしたので、ヴィクトルはいっそう身を屈めた。

「サーカスならもう二度も行ったわ」ニーナの声は遠のくにつれて小さくなっていく。「一回目はトラを見て、二回目は……」

さらに三〇秒待って、小さくなった声のほうを振りかえった。それから元通り座り直した。

三人は川を渡る橋のほうに行ったが、橋の手前を右に折れた。

立ちあがってあとを追い、橋のたもとまで行ったところで、三人がレストラン「ムルィン」に入っていくのに気がついた。

橋を半分渡り、今度はさっきと反対側、ウラジーミルの丘のほうに顔を向けて立った。五分ほどそのままじっと立っていて、振りむくと、三人がレストランのバルコニーにいるのが見えた。太っちょがウェイターと話し、ニーナはソーニャと話している。

自分の写真が太っちょに渡されるところはついぞ目撃できなかったが、バルコニーのテーブルの上にシャンペンが一本あるのだから間違いない。さっき溶けかけた一枚のチョコレートを間接

「口移し」で食べていたのより、この光景のほうがよっぽど頭にきた。いや、自分の写真が太っちょに手渡されるところを見ても、おそらくこれほど腹を立てたりしなかったろう。それは、シャンペンやチョコレートとは違って、予期していたことだからだ。

太陽がずっと照っているので、アノラックが暑くなってきた。不快な思いがつのって、ますます腹立たしくなるばかりだ。今ではレストランのほうを向き、橋の欄干に肘をついて、三人の様子を眺めていた。ソーニャがまたアイスクリームを食べ、太っちょとニーナもアイスクリームを食べながらシャンペンを飲んでいる。

およそ一時間して三人がレストランから出てきたので、三〇メートルか四〇メートルほど距離を置いてあとをつけた。三人が橋のたもと、地下鉄駅の入り口近くで立ち止まったので、ヴィクトルもちょっと離れたところで止まって様子を見守った。

太っちょが二人にさよならを言っているようだが、かなり慎ましやかで、ニーナの頬にキスしようとさえしない。その別れの儀式を、意地悪く皮肉な気持ちで眺めた。見ていると、とうとう太っちょが地下鉄の駅に入り、二人は水の公園の反対側へとさらに歩いていった。

急ぎ足で太っちょのあとを追う。ホームにいるのを見つけ、円柱の陰に身を潜めた。

それから、太っちょと同じ電車に乗って街の中心に向かった。隣のドアに近づき、しげしげとその姿を眺めると、こちらに対して横向きに立っていて、車両の内側の壁や窓にべたべた貼ってある何十という広告のひとつを読んでいる。

こんなに近くで見るのは初めてだ。ネズミ色の帆布の幅広ズボンを穿き、色褪せたオレンジ色のTシャツの上に白いサマージャケットを着ている。

風貌からは何も読みとれない。だれにでもなり得るし、だれでもないとも言える。どこをとっても、どんな性格だとか、どんな仕事をしているとかいったことを推し量れるようなディテールがまったくなかった。

太っちょが中央駅で降りた。あとを追って降りると、なぜかすぐうしろになってしまったので、立ち止まって少し間があくようにし、太っちょがエスカレーターに乗るまで待った。そして、他の乗客が二人の間にできた空間を埋めると、相手の姿を見失わないようにしながら、同じくエスカレーターに乗って上にあがった。

中央駅の構内を通り抜け、地下道を歩いて、ウリツキー通りの先端に出る。太っちょと一緒に路面電車を待ち、一緒に駅ふたつ分乗って、一緒に降りた。

むこうがこちらを見た瞬間もあったが、すぐにそっと目をそらせた。顔を見てもわからなかったのか、ひどくぼんやりしているか、どちらかだろう。

通りにはあまり人がいなかったので、路面電車の停留所にしばらくいて、太っちょが駐車場の横を通って、道から少しそれたあたりに立っている高層アパートのほうに歩いていく姿を目で追った。

それからゆっくり同じ道を歩き、高層アパートのひとつしかない正面玄関に入っていくところを確認するときだけ、ちょっと立ち止まった。

ほんの数秒で正面玄関に走っていき、開いているドアのそばに立ち止まって耳を澄まし、アパートの前に見知った青い「モスクヴィチ＝コンビ」が止めてあるのを目の端でとらえる。

正面玄関にはもうだれもいなかった。中に入る。あたりが静かなだけに、よけいエレベーターのがたがたいう音が響く。隣の荷物専用エレベーターの扉は開いていたが、人専用のエレベーターの扉は閉まっていて、その扉の上では階数を示す数字がゆっくり順々に点灯していく。ようやくがたがたいう音が止み、ランプの点滅も止んで、「13」という数字が明るくなっている。

荷物用エレベーターに乗り、一三階のボタンを押した。

エレベーターを降りたところは、壁に落書きがあり、床には空っぽの段ボール箱が積んである。

階段ホールにあるドアを開けると、長くて薄暗い廊下が続いており、犬の臭いがする。

物音がしないか注意しながら、並んでいる玄関ドアの前をどんどん過ぎていく。そのうちの一軒は、中から犬のきゃんきゃん吠える声が聞こえてきた。長い廊下のうしろ、一番奥に窓がひとつあったが、その窓から差しこむ光は、ようやく廊下の途中、エレベーターホールのあるあたりまでしか届かない。

行く手突きあたりの暗がりまで行って立ち止まり、じっと耳を澄ました。端の玄関ドアの近くには自転車が置いてあり、その向かい側のドアの近くには、全階を垂直に貫いているのだろう水道だかガスだかの管に、南京錠のついた鎖で自動車のタイヤがくくりつけられている。このドアのところに行ってぴったり身を寄せた。かすかにざわざわいう音がドアのむこうから耳に飛びこんできて、部屋の中できいっと軋む音がしたと思ったら、トイレの水を流す音が聞こえてきた。

茶色い模造革を張ったドアにじっと目を凝らした――このあたりの暗がりに、もう目が慣れてきた。ドアに黒い呼びだしボタンがついているのも見える。ドアマットがわりに足元に敷いてあるぺちゃんこの布きれで、さっさと靴の裏を拭った。それなのに、いつもの優柔不断がまたしても頭をもたげたため、そのままじっと身じろぎもせずに考えこんでしまった――なぜこうも優柔不断なのかは、自分でもおおよそのところはわかっているのだが。中に入る意味があるのだろうか。あの太っちょがどうして何でも知りたがるのか、そのわけをわざわざ聞きだす必要があるのか。ひょっとして何も話したがらなかったらどうしよう。

手をポケットのところに持っていき、家を出てからずっと太股を押しつけているピストルに触れてみた。ピストルが然るべきところにあることを確かめて安心したように、ほっと息をついて考えた。

「人間だれしも、自分の好奇心を満たす権利がある。今度は俺の番だ」

思いきって黒いボタンを押した。

ドアのむこうで、ドアホンが「モスクワ郊外の夕べ」のメロディを奏でる。

「どちらさん?」男の嗄れた声がした。

「隣の者です」と答える。

錠ががちゃんといってドアが少し開いた。戸口に顔を出したのは、パジャマのズボンにタンクトップという格好の五〇歳くらいの異様に太った男だった。

髭も剃っていない男の丸顔を見て、一瞬立ちすくんだ。

「何の用だね?」パジャマズボンの男が聞いた。

ヴィクトルは体全体で前に出て、パジャマズボンの男を押しのけ、中に入った。呆然としている男を無視して、急いでまわりを見回すと、バスルームの開いたドア近くに姿を現して同じくあっけにとられている太っちょがいたので、じっと睨みつけた。

「だれに用だね？」パジャマズボンの男が、また絞りだすような声で聞いた。

「こいつだ！」太っちょを顎で指した。

パジャマズボンの男も太っちょのほうを見た。

「コーリャ、お前の客か？」驚いて言った。

コーリャは恐ろしそうに肩をすくめた。

「だれだ？」しばらくしてから、太っちょが間の抜けたように聞いてきた。

「なに言ってやがる」太っちょのそばに行って、キッチンのほうを顎で示した。

コーリャがキッチンに行き、ヴィクトルがあとについていった。

「何の用だ」背を窓に向けて立ち、太っちょがまた聞いてきた。

「聞きたいのは、なんで俺の写真が要るのかってこと。だいたい、どういうわけで俺の生活に鼻を突っこむんだ」

相手は、はっとして悟ったような顔つきになり、この「招かれざる客」を見ながら考えこんだ。片手を白いサマージャケットの内ポケットにゆっくり入れ、そこから写真を取りだした。

そして写真を眺め、こちらに目を戻した。困っているように見えたので、ヴィクトルはそれに力を得て大胆になった。

「え、どうなんだ！」脅すような調子が滲んでいる。

相手は口をつぐんだままだ。

アノラックのファスナーをゆっくりおろし、ジーンズのポケットからピストルを抜いたが、太っちょに向けることはせず、作り笑いしながら見せるだけにした。

太っちょは口がからからに渇いたように唇を舐めてから、震え声で言った。

「言えない……」

背後で足を引きずる音が聞こえたので、振りむくと、やはり驚きたじろいでいる目に出会った――パジャマズボンの男が立ちすくんでいる。

男にピストルを向けて怒鳴った。

「あっち行ってろ!」

男は、頷きながらキッチンを出た。

「それで?」太っちょを睨みつけ、我慢も限界に来たと感じていた。

「仕事を……」話しだした。「仕事をくれる約束なんだ……。これが最初の課題で……」

「どんな仕事だ?」

「新聞に……インタビューみたいなものを……」声が震えている。「別の部署で働いてるんだけど……そっちのほうが、給料がいいから……」

「インタビューみたいなものだって?」と考えた。「それこそ俺がこの数ヵ月書いてきたのは『インタビューみたいなもの』じゃないか……。替わりが現れたってことか?」

こんな陰鬱な推測をしていると、体の奥に冷たいものが流れるのが感じられた。今まで抑えていた恐怖がこの冷たいものと相まってふたたび頭をもたげ、思考と感情を支配しようとしている。

「じゃ、写真はどうしてなんだ」目をじっと見つめて冷たい声で聞いた。

「どうしてもってわけじゃなかった……。ただ、あんまりたくさんのことを知ったんで……顔を見てみたくなって……」

「顔を……」繰り返した。「なんで俺の顔を見る必要があるんだよ！　俺が『インタビューみたいなもの』を書いてたときは、顔なんて興味なかった……。書いたもの見せてみろ！」

太っちょはその場を動こうとしない。

「だめだ。もし知られたら……」

「知られやしない！」遮った。

太っちょは体の向きを変え、廊下を歩いて寝室に行った。窓の手前に机とタイプライターが置いてある。タイプライターの右と左には、紙の山がいくつかきちんと並べられていたが、そもそも部屋全体が異様なほどきれいに片付いている。部屋の空気だけが重たく濁っていて、通風口も開けずに何ヵ月も同じ空気を呼吸していたかのようだ。

机の前で立ち止まったので、ヴィクトルもそのすぐうしろで止まった。

太っちょの手は震えている。振りむいてこちらを見た。

「よこせ、よこせ！」と急かす。

太っちょは重々しく息を吐いて、机から青いファイルを出し、その中から原稿を取りだした。


ヴィクトル・ゾロタリョフ氏の短くもさまざまな出来事に彩られた人生は、本格的な三部作の題材となるにふさわしく、そうした三部作はそのうち必ずや書かれるだろうと思われます。しかし当面は、未来の三部作に添える哀しい注釈のつもりで、氏の追悼記事を書きましょう。

もしゾロタリョフ氏が単に文学やジャーナリズムの活動しかしていなかったなら、ためらうことなく氏を「負け犬作家」と呼んでいたことでしょう。でも、たしかに純粋に文学的な才能は足りなかったかもしれませんが、他の才能を豊富に持ちあわせていたことは明らかです。それは、筋の展開や構想の才能です。氏は、「のどかな」政治の世界に移って議員席でのんびりまどろんでいるような古い世代の負け犬作家たちの轍を踏むことなく、政治に本当の興味を抱いて、この才能を自分でも思いがけないほど発揮することになったのです。

今のところゾロタリョフ氏の生涯には多くの謎が残されています。謎めいているのは、国家安全保障の「グループA」のメンバーといつ知りあったかということですが、氏がわが国を「世直し」する必要があるという考えを持つようになったのは、ちょうどこのメンバーたちと知りあってからです。氏の文学的政治活動は思いがけない形で打ち切られましたが、その結果がどのように現れたかということはもういくつか指摘することができます――疑わしい状況で殺されたり亡くなったりした一一八人が、西側の専門用語を使うと、VIP（要人）クラスに分類できます――国会議員から工場長や大臣まで。この人たちの過去は清廉潔白というわけではなく、「グループA」はこの全員の書類を作成していました。おそらく議員特権が邪魔だったり、裁判官が買収されていたりして、この人たちの責任を問うことができなかったため、「グループA」が最終的にゾロタリョフ氏に依頼したのでしょう。氏は、生きている人間の追悼記事を書いたわけですが、それはある意味で、その人が近いうちに死ぬことを要請するようなものでした。どれをとっても、氏の書いた追悼記事には、その人の死ぬべき理由が簡単に見つけられます。

氏は、わが社の故文化部長の抜擢で嘱託記者になりましたが、この社会的身分は理想的なカムフラージュでした。

まだ多くのことがこれから解明されるはずですが、今すでに言えることは、氏が、社会正義の基盤を死に追いやるようなことをしたばかりか、死ぬ日取りや手段まで――時にそれはあまりにも酷い手段だったこともあります――決めていたということです。氏が自殺に用いたステチキン・ピストルの弾道鑑定から判断すると、氏は「世直し」事業に少なくとも個人的に一度は参加したようです――この同じピストルから撃たれた弾でヤコルニツキー議員が殺され、建物の六階から投げ落とされているからです。

ヴィクトル・ゾロタリョフ氏の私生活もまた、現実生活というよりは文学的な構築物に近いものでした。氏が心から愛着を感じていた唯一の生き物はペンギンでした。ペンギンを何よりも大切に思っていたので、この動物が重病になったときは、人間の子供の心臓を移植したほどです。その際、倫理や道徳など一顧だにせず、交通事故で致命傷を受けた少年の心臓を両親から文字通り買い取りました。

もうひとつの謎は、犯罪の世界のボスたちとの関わりです。氏はその世界では「ペンギン」というコードネームで通っていました。驚くべきは、氏自身が手を貸して殺した人たちの葬儀に氏がしばしば参列していたということで、こういうふうにして、殺す予定の人の書類を読むところから、親戚や友人に混じってその人の追悼供養の会に参列するまでの、ユニークなサイクルを完結させていたのです。

今や、氏の立案、遂行していた「世直し」事業が社会全体の知るところとなった以上、一刻も早く詳細が明らかにされることを望みたいものです。すでに議員による調査委員会が活動を始めています。「グループA」の指導者は、前任者と同様、名前を公表されないことになっていますが、すでに解任されています。私たちは当然のこととして、もう二度と同じようなことが起こらないでほしいし、今後はたとえ裁判所の司法権外にいる犯罪者であっても、国家安全を司る機関は絶対、彼らに私刑を加えるようなことを許してはならないと思います。

ゾロタリョフ氏はわが新生国家の文学には貢献しませんでしたが、氏がウクライナの政治史にどんな「貢献」をしたかは、かならずや議員の調査委員会のみならず、同僚作家たちにとっても研究テーマになることでしょう。そんなテーマで長編小説が書かれたら、その作品の運命のほうがゾロタリョフ氏自身の運命よりよほど長くて充実したものになるかもしれません。

最後まで読んで目を上げ、太っちょを見た。相手も、まるで自分の労作を評価してもらおうと待ち構えているかのように、こちらを見ている。

読んだ紙を黙って床に落とした。急激な重苦しさに襲われ、肩ががっくり落ちた。

編集長の言葉を思いだした。「何か知ったら、そのときは君の仕事にも、君のその後の生活にももはや意味はない」というような言葉だった。

右手がやけに重いような気がして、ピストルのことを思いだした。今ではこのピストルの種類も知っている。ステチキンだ。

太っちょはこちらの様子を見ていたが、しだいにその丸い顔から驚愕の色が失せていった。何か考えたことをつぶやいているかのように、唇をかすかに動かしている。

「で、どう?」ヴィクトルがぐったりして攻撃してこないと見て、とうとう用心深く言った。

「どうって、何が」相手を疲れたように見た。

「だから……原稿……」

「面白みがない。無味乾燥だ。書きだしもよくないし、いかにも新聞くさい……。取っとけ、記念に!」

ピストルを突きだすと、太っちょは面食らっていたが、こちらから目を離さずにピストルを両手で受け取った。右手が軽くなった。何か病気から回復したみたいな気がする——ピストルを渡したら、本当に体が軽くなったように感じたのだ。そうしてくるりと背を向け、それ以上一言も言わずにアパートを出た。

75

真夜中まで、何百人という列車を待つ人たちに混じって中央駅の待合室に座り、到着する列車、出発する列車について、くぐもった聞きとりにくいアナウンスを聞いていた。

アノラックでは凍えそうだ。

もう恐怖は感じていなかった。恐怖がおさまったからでもなければ、すべてを諦めたからでもない。この人混みにいてざわめきに囲まれているうちに、少し自分を取り戻せ、自分自身の〈十字架〉を読んだショックから立ち直ることができたのだろう。人生がまもなく終わるというなら終わるがいい――「英雄的な」未来像を与えてくれたその同じ人たちが、今度は死ぬ方法（自殺！）も、いつ自殺するべきかという日付けも決めてくれたってわけか。そいつらが何者なのかわからない以上、座っている人や通りすぎる人の一人一人を怖がるのも無理はない。でも、そんなことに意味はない。怖がることができるのは、生きるチャンスが残っているときだ。駅にじっと座って、自分にそんなチャンスはないと思った。せめてあと数日でもいいから、命を長引かせたかった。

と同時に、自分の〈十字架〉がいかにも無能な書き手によって書かれたことが、無性に腹立たしかった。

「俺だったらもっとうまく書いたのに」と思ったが、すぐに、そんなふうに考えるなんてどうしようもなく馬鹿げていると思い、頭から払いのけた。

それにしても、ニーナやソーニャについて一言も書いてないのはどうしてだろう。どうしてペンギンのことしか書いてないんだろう。だれか、俺のことを俺よりよく知っている奴がいるに違いない。俺の一件書類を作ったやつらが俺よりいろんなことを知っているのは明らかだ。ペンギンのためのドナーの心臓をどこから手に入れたかということまで知ってた。俺は知らなかったのに。

「リヴォフ発モスクワ行き列車が九番線に到着します！」聞き取りにくいきんきん声のアナウンスが流れると、そばに座っていた女たちが一斉に立ちあがり、重そうな袋を肩に担ぎ、下に置いてあった大きな買い物鞄を手に持った。

気まずい思いをする。ひとつには、この女たちの行く手を塞いでいるからで、もうひとつは、この人たちがいなくなったら、今座っている列が全部空いてしまうからだ。それで一緒に立ちあがり、駅の出口に向かった。

家に帰ったのは、夜中の一時ごろだった。そっとドアを閉め、靴を脱いだ。

ニーナとソーニャはもう寝ている。

電気をつけずに、キッチンのテーブルの椅子に腰かける。向かいのアパートの窓を見ると、一番端の玄関口の一階の窓がひとつだけ灯っていた。そこには管理人の女性が住んでいるようだ。

窓際のはじっこに、マヨネーズの瓶と蠟燭が置いてあるのに気がついた。蠟燭が何かを思いださせる。レンジからマッチを持ってきて、蠟燭を立てて火をつけた。

神経質に揺れ動く炎が、キッチンの壁にゆらゆらと光の斑点を映しだしている。しばらくの間、魅せられたようにその炎を見ていたが、やがて紙とボールペンを持ってきて、メモを書きはじめた。

親愛なるニーナ。タンスの上のバッグの中にソーニャの金がある。ソーニャの世話を頼む。しばらく家を出なければならなくなった。埃がおさまったら姿を現す。

この一節は自然に書けてしまった。消そうかと思ったが、ふと手を止めて、何度か声に出してつぶやいてみた。子守唄のように聞こえる。

頑張ってくれ。　　ヴィクトル

メモを押しやり、それからさらに長いこと蠟燭の炎を眺めていた。

窓際にはモスグリーンの骨壺がずっと置いてある。蠟燭の炎は、骨壺の表面にも柔らかい光をあてている。

「流儀」という、髭のリョーシャが好んで使っていた言葉を思いだした。「俺も自分の流儀を考えださないといけないかな。『自殺』する前に何か新しいことをするとか。これまで一度も行ったことのないところに行くか。一度も行ったことのないところなら、だれも俺のことを探したりしないだろう！」

蠟燭の炎が、ヴィクトルの顔に浮かんだ哀しげな微笑みを照らしている。立ちあがって、そっと寝室に行き、タンスを開けた。冬ジャケットのポケットから自分の金を出した。ミーシャと二人で稼いだドル札の束だ。キッチンに戻り、もう一度外を見やり、暗がりの中を出ていくのは寒いだろうと考え、また寝室に引き返してセーターを持ってきた。セーターを着て、その上にアノラックをはおる。ずしりと重い札束をポケットに入れて部屋をあとにした。

76

一〇ドルでタクシーの運転手は「ジョニー」というカジノの真ん前まで行ってくれた。すぐに、ダークスーツを着た、角ばった感じのガードマンが目の前に立ちはだかった。ガードマンのいかにも屈強そうな体格や、変なことをしたらただじゃおかないぞ、といった攻撃的な態度を見て、なぜか吹きだしそうになった。ドル札の束を見せつけ、その中から、何ドル紙幣か見もしないで一枚抜き取ると、ガードマンのスーツの胸ポケットに押しこんだ。ガードマンは脇にどいた。

入場料窓口では、雪のように白いブラウスを着て、首に青いスカーフを巻いた係の女の子がうたた寝をしている。夜の娯楽施設にしてはあまりに静かだ。途方にくれてあたりを見やる――夜のカジノといったら、まったく別な雰囲気を想像していた。

指でこつこつと窓ガラスを叩くと、目を覚ました女の子は、ヴィクトルのアノラックを見て驚いている。

窓口の女の子に一〇〇ドル紙幣を差しだした。

女の子は、いろんな色のプラスチックのメダルをじゃらじゃらとよこした。

「ここ初めてですか」ヴィクトルがメダルを疑わしげにじろじろ眺めているのに気づいて、女の子が聞いた。「それがお金のかわりです。それでバーの支払いもできるし、賭けもできます……」

左右を見回した。

「あっちです！」女の子が、重そうな緑色のカーテンのほうを顎で指して教えてくれた。

カーテンをくぐると、まったく別世界だった。さっきのところよりは想像していた光景に近いが、それでも驚くほど静かだ。数えたところ、カジノ全体に七人しか人がいなかった。一人はルーレット台でディーラーと一対一で賭けている。別のルーレット台では三人が勝負している。ポーカーをしている二人組もいる。小さな音量でどこからともなく音楽が聞こえてくる。今しがたワイングラスを運ぶ女の子が、廊下からホールに入ってきたところだ。廊下の上のほうで「BA

R」と書かれた細いネオンサインが灯っている。

一番近くのルーレット台に近づく。その台では、日本人か韓国人と思われる男がたった一人で静かに遊んでいたが、なんだかぷりぷり怒っているみたいだ。

隣に座り、その孤独な男がどんなふうに賭けるか少し見てから、最初の賭けに出た。

玉がルーレットの上をくるくるころがって止まると、ディーラーがいくつかメダルを押してよこした。

「勝ったんだ！」

それまでルーレットというものを映画でしか見たことがなかったので、今、自分の身に起こっていることも、新しい映画か何かを見ているような気がする。急に熱狂的な気分になり、持っているメダルをすべて「赤」に賭けた。そしてまた勝った。日本人だか韓国人だかが、何だこいつ、といった不信感をあからさまにして、こちらをじろじろ見てくる。

今度はメダルをすべて「黒」に賭けて、また勝った。

つまらなくなった。メダルをアノラックのポケットに入れてバーに行き、フランス・コニャックを一〇〇グラム注文した。ひとつメダルを渡すと、三つお釣りが返ってきた。もちろん違う色だった。

「子供の世界だな」と思った。「オモチャの金、オモチャの値段、オモチャのような人たち……」

グラスを持ってホールに戻り、さっきと同じルーレット台に座る。メダルを一摑み黒に賭けて、また勝った。

「馬鹿ほど運がいい」と思い、自分で自分に頷いた。

日本人だか韓国人だかはどこかに行ってしまい、今ではヴィクトル一人が遊んでいるだけだ。賭けては勝ち、賭けては勝った。アノラックの両方のポケットが勝ち取ったメダルで重くなっている。

「よお」ディーラーに話しかけた。ディーラーは、白いワイシャツに蝶ネクタイをした若くてエレガントな青年だ。「このメダル、どうしたらいいの？」

「またドルに戻せます」

頷いて、勝ち続けた。

それからまたバー、レストラン、年齢も容姿もよくわからない小柄な女。ホテルの部屋……。この女の腕がとても強かったことを覚えている。

翌朝一人で目が覚めた。頭が少し痛い。起きあがって、部屋の窓から外を眺めると、よく知っている広場で、隣に小さな市が立っている。

「どこへも行くまい」きっぱり決めた。「金はまだあるし、そのうち必要なくなる金だ……」

盗《と》られたかもしれないという考えが浮かんではっとし、椅子に載っていたアノラックを手に取ってポケットの中を調べた。驚いたことに、札束もあれば、メダルも山のようにある。

顔を洗い、上着を着て、下におりてレストランに行き、メダルいくつかで美味しい食事をし、また酒を飲んだ。部屋に戻る。夕方まで一眠りして下におり、今度はカジノに行った。

二晩目は最初の夜よりもっとついていた。どんどん勝ち続け、もうこの先どうなってもかまわないという気になった。意識の底では、あまり勝ってばかりいてはヤバいとわかっていたが、そんなふうに考えるのは変だとも思った——だって賭けをするのは勝つためじゃないか。

バーでちょっと多めに飲んでしまった。それから交換窓口に行った。だれもいなかったが、姿が見えたからだろう、白いワイシャツに蝶ネクタイをした、これまたエレガントで初々しい、見たところ一七歳ほどの青年が窓口に現れた。

ポケットからメダルを出して、小窓の前の小さな棚にじゃらじゃら置いた。

瞬間、青年の目に恐怖の光が走ったのに気がついた。動きを止めて相手の目をじっと見た。

青年はようやくわかる程度に首を振り、

「全部いっぺんに今すぐ交換しちゃだめです」と囁いた。「ここから出られなくなります！」

ヴィクトルは途方にくれて相手を見た。

「じゃあ、どうしたらいい？」

「朝まで遊んで、ここから友達に電話して、ホテルの出口まで迎えに来てもらうといいですよ……」

「何かい、それがここのルールなの？」驚きの混じった酔っぱらいの声で聞いた。

「いえ、うちのルールはちゃんとしてますが、だれもが守るってわけじゃありませんから」そう言うと、青年は緑のカーテンのほうを顎でしゃくってみせた。昨日の夜、カジノに入ったときくぐったカーテンだ。

メダルを交換窓口に残したまま、カーテンのほうに行き、カーテンを上げて覗いた。そこはホテルのロビーになっており、五メートルほどのところで、力の強そうな男が四人立ち話をしている。そのうちの一人が、カーテンのこちらから覗いたヴィクトルに気づいて、愛想よくウインクしてきた。

自分のメダルをかき集めてゲームを続け、朝方近くになって、バーの黒い革張りの柔らかいソファで眠ってしまった。

九時ごろ、だれかが起こしに来て、ポケットの中を探り、重い梨型キーホルダーのついたホテルの鍵を見つけて、部屋に運んでくれた。

三日目の夜になると、自分の力が尽きたことを感じた。目の前にぼんやり靄《もや》がかかって、自分が何にメダルを賭けたのかよく見えなくなっている。それでも勝ち続けた。勝って、勝って、勝ちまくった。そして、ようやくまわりの気配に気づいて驚き、たじろいだ。ディーラー、館内のガードマン、真新しいスーツに身を包んだ人たち、きちんと髪を短く刈った人たち全員が自分のほうを、じつに冷たいまなざしでじっと見つめているのである。

朝方、そのうちの一人が近づいてきて聞いた。

「お宅までお送りしましょうか」答えをじりじり待っている男の顔には、蠟のような笑みが貼りついている。

「家に？」聞き返した。この言葉が脅し文句のように聞こえた。

「リムジンでお送りしますので、ご心配なく、もしよろしければ、ガード付きにしましょう。ご自分のメダルをドルに戻すこともできますし、ここに置いていってまたご来店になることもできます……」

「今日は何日だったっけ」ふいにヴィクトルは聞いた。

「五月九日です」蠟のような笑みを浮かべた男が答えた。

「何時？」

「七時半です」

考えこんだ。五月九日……。ただの旧戦勝記念日じゃなかった……。ミーシャが出発する日だ……。いや、ミーシャは今日出発するわけにはいかない。ミーシャのいるフェオファニヤに、俺のことを今か今かと待ち構えてる連中がいる。俺を殺して、その手にステチキン・ピストルを持たせようって魂胆だ。

「一時間後に、飛行機工場に連れていってもらえるかな」少し間を置いて尋ねた。

驚いたような目で見られた。

「もちろん、お連れできますよ」蠟のような笑みの男が言った。「ガード付きにしますか?」

ヴィクトルは頷いた。

男は離れていった。

リムジンは巨大だった。こんなリムジンは見たことがない。乗りこむと、中はリビングルームのようになっている。隣にガードマンが座り、まめまめしくジン・トニックを作ってくれる。小さな冷蔵庫まで備えつけてあるのだ。

リムジンは勝利大通りを走った。窓はスモークガラスで黒くなっているが、中からはよく見え、道行く人たちが立ち止まってこの車を目で見送っているのがわかる。

ヴィクトルは満足して微笑み、ジン・トニックにまた口をつけた。まだ酔いが残っている。ポケットからメダルを一摑み取りだして、ガードマンにやった。ガードマンは受け取って礼を言った。

リムジンが飛行機工場の正面玄関前に止まると、ガードマンが振りむいて聞いた。

「これからどちらへ？」

「南極大陸委員会のワレンチン・イワーノヴィチを探しだして、正面玄関まで迎えに来るように言ってくれ」

　ガードマンは車を降りた。堂々とした態度で玄関に行き、建物の中に姿を消すのを見送った。だれもガードマンを制止する者はいない。

　五分くらいして、戻ってきた。

「ワレンチン・イワーノヴィチがお待ちかねです」と言い、玄関のほうを顎で指した。

「ご苦労だった」ヴィクトルはリムジンを降りた。

　ワレンチン・イワーノヴィチは肝を潰していたが、こちらの顔を見てほっとしたように溜め息をついた。

「ふうう！　いったいどなたが訪ねてきたのかと思いましたよ……。で、ペンギンはどこなんです？」

「私がペンギンです」ヴィクトルは暗い声で言った。

　ワレンチン・イワーノヴィチは考え深そうに頷いて言った。

「行きましょう。もう積みこんでいるところですから……」

訳者あとがき

アンドレイ・クルコフの小説は、小動物の出てくるものが多い。ネズミ、オウム、カメレオン……。しかも、脇役としてちょっと顔を出すというのではなく、主人公に負けず劣らず大事な役回りを与えられていたりする。

本書『ペンギンの憂鬱』でも、主人公のヴィクトルが、動物園からペンギンを引き取って飼っている。ミーシャと名づけられ可愛がられているこのペンギン、愛らしくひょうきんな姿とは裏腹に、憂鬱症をわずらっているのだが、ミステリアスな物語の展開になくてはならない重要なキャラクターである。

この作品は、一九九六年に『局外者の死《Смерть постороннего》』と題されロシア語で出版されたが、数年後に英語、ドイツ語、フランス語訳が出て、またたくまに欧米で人気を博した（のち、ロシア語タイトルは『氷上のピクニック《Пикник на льду》』に変えられた）。訳者の知る限り、すでにウクライナ語、ポーランド語、中国語、トルコ語を含む二〇ヵ国語に翻訳されている。ドイツ、フランスではとりわけよく読まれ、それぞれ一〇万部以上売れているというが、現代ウクライナの作家で、これほど国際的に名前の知られている人はいないのではなかろうか。

二〇〇〇年、ドイツの『シュピーゲル』誌の記者が取材のためキエフを訪れ、飼っているペンギンと一緒にいるところをぜひ写真に撮らせてほしいと頼んできた。ペンギンを飼ったことは一度もない、と作家がいくら言っても、信じようとしなかったという。

また、クルコフは最近、続編『カタツムリの法則《Закон улитки》』を出したが、それは欧米の読者から、あのあとペンギンはどうなったのか、ぜひ先が読みたい、という熱い要望が多く寄せられたからだという。

それほど、クルコフのペンギンの人気は、すごい。

そういえば、本書をすでにお読みになった方は、ヴィクトルが「警官とペンギンの古い一口話《アネクドート》」を思いだしてひとり微笑む場面があったのを覚えておいでだろう（二〇―二一ページ）。どんな話なのか、作中にはそれ以上くわしく触れられていないので、気になって作者に問い合わせた。ここにご紹介しよう。

警部が車で街をまわっていると、警官のペトレンコがペンギンを連れて歩いているのに気がついた。警部は車を止めて言った。

「何をしてるんだね。すぐにペンギンを動物園に連れていきたまえ」

「わかりました」とペトレンコ。

こうしていったん別れたが、二時間ほどすると、別の場所でまたペトレンコとペンギンに出くわした。警部は怒って、どなりつけた。
「さっきペンギンを動物園に連れていけって言っただろ?!」
するとと警官のペトレンコはこう答えた。「動物園にはもう連れていきました。映画にも行きました。これからサーカスに行くところです」

他愛もない笑い話だが、これにヒントを得て、小説にペンギンと警官を登場させることにしたそうだ。もちろん、クルコフの作品は、たんに一口話をふくらませただけのコメディではない。全編に不条理な恐怖がただよい、さりげないアイロニーと諦念、ペーソスとユーモアが響きあい、ファンタスティックな設定や風変わりなプロットが素朴でリアルな文体に支えられて、サスペンスあふれる優れた長編に仕上がっている。

主人公のヴィクトルは警官ではなく、売れない小説家。この主人公とペンギン、飼い主とペットという関係である以上に、孤独を媒介とした「分身」関係にあることは間違いない。クルコフ自身、ウクライナの日刊紙のインタビューに答えて、次のように語っている。

この愉快な動物を登場させたら、作品がとてもしっくりいったように思います。というのは、生来ペンギンって集団で生きる動物で、いつもみんなそろって行動するでしょう。一羽だけコロニーから出して別の島に移すと、そいつはどうしたらいいかわからなくなって、途方にくれてしまう。この点が、私の小説に出てくる登場人物、ソ連時代を生きた人間にそっくりなんです。

（『コントラクティ』二〇〇四年六月一四日号）

なるほど、ペンギンのミーシャは、囚われの動物園から解放されたものの、本来仲間たちといるべき南極にいるのでもない――その宙ぶらりんの環境が、ヴィクトルの置かれた状況そのものを象徴的、寓意的にあらわしているのだろう。じっさい、作品の背景となっているのは、ソ連が崩壊してウクライナが独立した直後の、犯罪が横行しマフィアの暗躍する「過渡期」の都市キエフである。

そうであれば、おおかたの欧米の書評子がこの作品を「きわめて社会性の強い風刺」であるとか、「ポスト共産主義時代の悲喜劇」だと評するのも、無理からぬことと言えよう。ヴィクトルに四歳の少女ソーニャ、ベビーシッターのニーナ、ペンギンのミーシャが寄りそって愛のない「擬似家族」を作りあげているのも、うがった見方をすれば、イデオロギーで無理やりひとつにさせられていた大家族「ソビエト共和国連邦」を暗示するものと言えなくもない。

しかし、必ずしもそんなふうに真面目くさってこの小説を「政治的に」読まなければならぬ謂《いわ》れはない。いや、むしろ、社会的背景など考えなくても文句なしに楽しむことのできる、お洒落な上質のエンターテインメントといって差し支えないと思う。

アンドレイ・クルコフは、一九六一年にレニングラード（現在のサンクト・ペテルブルグ）で生まれた。父は軍のテスト・パイロット。三歳のときに一家でキエフに移って以来、基本的にはずっとこのウクライナの首都に住んでいる。キエフ外国語大学を卒業し、出版社で働いたり、翻訳に携わったり、ドブジェンコ映画スタジオでカメラマンの助手をしていたこともある。兵役として、オデッサの刑務所で看守をつとめたとも聞いている。

これまでに小説としては、本書のほかに『ビクフォードの世界《Бикфордов мир》』、『銃声一発の地理学《География одиночного выстрела》』(三部作) などの長編を書き、二〇冊近く本を出している。また、フィクション、ノンフィクション合わせて一八本の映画シナリオを手がけ、そのうちの『死者の友人《Приятель покойника》』(ヴャチェスラフ・クリシトフォヴィチ監督、一九九七年) は、クルコフ自身の同名の小説を映画化したものだという。さらに『ちびそうじきゴーシャのはなし《Сказки про пылесосика Гошу》』、『チェムとバクチャのぼうけん《Приключения Чема и Бакти》』など童話も多数ある。

つまり、小説家であり、シナリオライターでもあって、児童文学者でもあるのだ。

こう紹介してくると、華々しいキャリアの道をらくに歩んできた人のように思われるかもしれないが、じつは作家として芽が出るまでには、長い年月とたいへんな努力が必要だったようだ。自分の書いたものをあちこちの出版社に持ちこみ、一部を自分で英語に訳して外国の出版社に送り、出版の可能性を探ったが、いつも断られてばかりいた。あるインタビューで、断られた数は五〇〇くらいになるんじゃないかな、とこともなげに言っていたが、生半可な心構えではない。

クルコフが「ブレイク」したのは、ようやく本書『ペンギンの憂鬱』が出版され、欧米各国語に翻訳されてからである。ヨーロッパでベストセラーとなり、一時は、本国ウクライナでよりも、むしろヨーロッパでのほうがよく知られているのではないかとさえ言われていた。

また少し政治がらみの話になってしまうが、クルコフがウクライナでさほど注目されなかった理由のひとつとして、ロシア語作家であるクルコフに、独立後のウクライナの社会・文化状況が不利に作用したということが考えられるのではないだろうか。

というのも、クルコフは自分を「ロシア語で書くウクライナの作家」と見なしているのだが（このあたりが「ウクライナ出身だがロシア語で書くロシアの作家」を自任していたゴーゴリと異なるところだろう）、昨今ウクライナの民族意識が高揚するとともに「非ウクライナ語作家」の立場がかなり厳しくなっているようなのだ。ウクライナ語で書かない作家はウクライナの作家ではない――そんな民族主義的な風潮が広まりつつあるらしい。

ロシア語とウクライナ語は、一部異なる文字もあるが、ともにキリル文字を用い、同じ東スラヴ語に属していて、ひと言で言うと非常に似ているのだが、そうかといってどちらか一方をもう一方の方言と見なすわけにもいかない、それぞれ独立した言語である。ウクライナが新生国家として歩みはじめてから、愛国主義的な機運が盛りあがり、ウクライナ語を公用語にしてロシア語を排斥しようという動きが出てきたことは、抑圧されてきたウクライナの長い歴史を考えれば、ある意味ではやむを得ないことなのかもしれない。でもクルコフは、ウクライナ語だけでなく、ロシア語、クリミア＝タタール語、ハンガリー語もウクライナの地で「文学の言葉」として使われている以上、いずれも「ウクライナ文学」の大切な構成要素と考えるべきだ、と主張している。

まったくそのとおりだと思う。ウクライナは広いので場所によって言語の状況はさまざまだが、少なくともキエフは、ウクライナ語とロシア語のバイリンガル都市、ふたつの言語が拮抗している町といえるだろう。

このようにクルコフは、多言語環境に生き、それを積極的に認めている作家である。ウクライナ語も勉強してマスターしたというし、イギリス人女性と結婚して子供を「多言語使用者《ポリグロット》」に育てている。日本語の技術翻訳コースに通って日本語や日本文化を学んだことがあるというのも、嬉しい驚きだった。

最近、村上春樹の作品が数多くロシア語に訳され、ロシア語読者の間でたいへんな人気なのだが、クルコフも『羊をめぐる冒険』が気に入っているとのこと。じつは、本書を訳している最中、どことなく村上春樹の雰囲気に似ているような気がしてならなかった。読者の皆さんはいかが感じられたであろうか。

最後に、この素敵な物語の翻訳を薦めてくださった新潮社出版部の斎藤暁子さんに、心よりお礼申しあげます。緑深き古都キエフに幻のペンギンの姿を思い描きながら進めた翻訳作業は、いつになく楽しいものでありました。

二〇〇四年八月　　　　沼野恭子

Смертъ постороннего

Андрей Курков

ペンギンの憂鬱《ゆううつ》

著 者

アンドレイ・クルコフ

訳 者

沼野恭子

発 行

2004年9月30日

19 刷

2025年9月25日

発行者 佐藤隆信

発行所 株式会社新潮社

〒162-8711 東京都新宿区矢来町71

電話 編集部03-3266-5411

読者係03-3266-5111

http://www.shinchosha.co.jp

印刷所

株式会社精興社

製本所

大口製本印刷株式会社

ISBN978-4-10-590041-0 C0397

CREST BOOKS

Shinchosha

ソーネチカ

Сонечка
Людмила Улицкая

リュドミラ・ウリツカヤ
沼野恭子訳

本の虫で容貌のぱっとしないソーネチカ。
最愛の夫の秘密を知って彼女は……。
神の恩寵に包まれた女性の、静謐な一生の物語。
現代ロシアの人気女流作家による珠玉の中篇。

CREST BOOKS

女が嘘をつくとき

Сквозная линия
Людмила Улицкая

リュドミラ・ウリツカヤ
沼野恭子訳

夏の別荘で波瀾万丈の生い立ちを語るアイリーン。
ところがその話はほとんど嘘で……。
女の嘘は不幸を乗り越える術かもしれない。
生きることを愛しむ六篇の連作短篇集。

CREST BOOKS

ウォーターランド

Waterland
Graham Swift

グレアム・スウィフト
真野泰訳
土を踏みしめていたはずの足元に、ひたひたと寄せる水の記憶――。イングランドの水郷フェンズを舞台に、人の精神の地下風景を圧倒的筆力で描きだす、ブッカー賞作家のもっとも危険な長篇小説。

CREST BOOKS